Iesu'r Iddew

a Chymru 2000

Cyflwynir y gyfrol hon i

J.R., R.R., A.Ll. a D.Ll.

sydd wedi colli cysylltiad â'r eglwys —
ar hyn o bryd

Minnau a ganaf gyda chwi
i'r Iddew gynt a'm carodd i;
caned y crefftwyr oll i Dduw
am Iesu a dros bob marw yn fyw.

— 'Carol y Crefftwr', Iorweth Cyfeiliog Peate

Iesu'r Iddew

a Chymru 2000

PRYDERI LLWYD JONES

y Lolfa

Argraffiad cyntaf: 2000
⑭ Hawlfraint Pryderi Llwyd Jones a'r Lolfa Cyf., 2000

Llun y clawr: Marcus Perkins
Llun clawr ôl: seiliedig ar 'Coron Ddrain' gan Wil Roberts

Rhif Llyfr Rhyngwladol: 0 86243 543 9

Cyhoeddwyd yng Nghymru
ac argraffwyd ar bapur di-asid a rhannol eilgylch
gan Y Lolfa Cyf., Talybont, Ceredigion SY24 5AP
e-bost ylolfa@ylolfa.com
y we www.ylolfa.com
ffôn (01970) 832 304
ffacs 832 782
isdn 832 782

CYNNWYS

Cyflwyniad

Llyfr eithriadol yw hwn, a braint yw cael ei gyflwyno. Yn ein hoes gymysglyd ni, pan mae llu o 'arbenigwyr' yn trafod 'crefydd' a 'dirywiad crefydd', tipyn o eithriad yw cyfrol Gymraeg sy'n mynd yn syth at ffynhonnell Cristnogaeth, i le a chyfnod ei chychwyn, gan ein herio i roi ein rhagfarnau a'n dogmâu heibio ac edrych, heb unrhyw lyffetheiriau, ar yr Un sy'n galon iddi.

Yng ngeiriau'r awdur, mae'r gyfrol wedi ei hanelu, nid at y ffyddloniaid na'r rhai sydd â diddordeb yn y gorffennol, ond at 'y nifer gynyddol o Gymry Cymraeg diwylliedig sydd wedi hen droi cefn ar yr eglwysi'. Gobeithio y bydd y Cymry diwylliedig hynny'n ddigon gwrol ac agored eu meddwl i ddarllen a gadael iddi siarad â nhw.

Amdanom ni'r 'ffyddloniaid', mae peryg y bydd ein meddyliau'n rhy gaeëdig ac yn rhy glwm wrth ein haddoldy a'n harferion, neu wrth ryw hoff athrawiaeth, i dderbyn neges y llyfr newydd hwn. Pe gallem ei dderbyn, 'gan gadw golwg ar Iesu' a neb na dim arall, byddai gobaith amdanom eto.

Bu awdur y llyfr hwn yn weinidog arnaf fi am gyfnod yn nhref Wrecsam. Mi wn felly am ei ddiwydrwydd, ei ddiffuantrwydd a'i ymroddiad llwyr i'r Gwaith. Digon yw dweud bod y nodweddion yna'n pelydru trwy ddalennau'r llyfr hwn. Os bu bugail eneidiau o ddifri erioed, Pryderi Llwyd Jones yw hwnnw, ac mae ei neges ef yn haeddu ei hystyried yn yr un ysbryd – o ddifri.

Islwyn Ffowc Elis

Rhagarweiniad

Mae cyfathrebu – yn nyddiau y twf aruthrol mewn cyfryngau cyfathrebu – yn anodd. I'r rhai ohonom sydd yn treulio llawer gormod o amser yn cynnal sefydliadau crefyddol sy'n gwegian, ymdeimlad o rwystredigaeth yw methu cyfathrebu â'r mwyafrif sydd bellach wedi dieithrio bron yn llwyr o'r Ffydd Gristnogol. Rhwystredigaeth hefyd yw sylweddoli y gallai'r milflwyddiant bondigrybwyll fynd heibio yn ddigon tawel heb ddim mwy nag ail adrodd yr ystrydebau diogel a derbyniol am Iesu o Nasareth.

Nid yw'r gyfrol hon yn ddim ond braidd deimlo'r gwres sydd yn llosgi yn yr Iddew o Nasareth. Mae llawer iawn mwy i'w ddweud amdano, wrth gwrs, ac y mae'r hyn a ddywedir yn y gyfrol hon yn annigonol oherwydd mai blas newyddiadurol a chyfoes sydd i lawer o'r penodau. I'r rhai sydd am ddilyn ambell i drywydd sydd yn y gyfrol y mae digon o gyfrolau mwy swmpus a diwinyddol i'w cael. Mae Iddewiaeth y Testament Newydd yn faes arbenigol iawn erbyn hyn, ac i'r arbenigwyr fe fydd y gyfrol hon yn llawn bylchau. Cyfrol i'r flwyddyn 2000/01 yn unig yw hon ac ymdrech i gyfathrebu â'r rhai sydd efallai angen meddwl mwy am ffydd y maent i bob pwrpas wedi ei gwrthod.

Os yw'r gair 'diwinyddol' yn codi arswyd ar rai darllenwyr yna efallai y dylwn egluro fod yr ail bennod yn ymwneud â materion traddodiadol diwinyddol – wedi'r cyfan, mae unrhyw gyfrol sydd yn ymwneud â chalon y Ffydd Gristnogol yn mynd i'w chael yn anodd i osgoi 'diwinyddiaeth' yn llwyr!! Nid wyf am wahaniaethu rhwng y penodau oherwydd nid oes ffiniau i ddiwinydda. Mae rhai awduron yn annog darllenwyr i osgoi ambell i bennod os nad oes ganddynt ddiddordeb yn y pwnc dan sylw gan honni na fuasai hynny yn amharu dim ar y darllen! Rydw i am annog y darllenwyr i ddarllen pob pennod gan gofio, fel y dywedodd rhywun, fod y Ffydd Gristnogol – a'r Crist sydd yn galon iddi – yn rhy fawr a phwysig i'w gadael i ddiwinyddion a Christnogion!

Rwy'n ddiolchgar iawn i nifer o bobl sydd yn rhannol gyfrifol am y gyfrol hon, gan bwysleisio, wrth gwrs, mai'r awdur sy'n gyfrifol am y beiau a'r gwendidau i gyd! I aelodau Capel y Morfa yn Aberystwyth yr wyf yn ddiolchgar iawn am y fraint o gael dathlu'r ffydd yn eu plith, fel y fraint a gefais yng Nghapel y Groes, Wrecsam yn y saith a'r wyth degau ac ym Maesteg cyn hynny. Yr wyf yn ddiolchgar i wasg Y Lolfa am gadw'r drws ar agor ar ôl i mi fethu cyflawni fy addewid i baratoi cyfrol wahanol rai blynyddoedd yn ôl bellach. Islwyn Ffowc Elis yw'r un a brofodd yn fwy na neb fod modd cyfathrebu drwy ysgrifennu, a bu ef hefyd yn barod i daflu ambell garreg i lyn llonydd crefydd Cymru yn y gorffennol. Yr wyf yn ddiolchgar iddo am ysgrifennu Cyflwyniad.

Yn fwy na neb yr wyf yn ddiolchgar i Eirwen am ei hamynedd anfodlon gyda gŵr mor anymarferol, ei chefnogaeth ddi-ball, ac am wneud llawer iawn mwy na chywiro ysgrifennu brysiog, blêr yr awdur.

PRYDERI LLWYD JONES

Dosbarth canol, Nasareth a Phobol y Cwm

Nid yw'r mwyafrif yn teimlo'r angen na'r awydd i berthyn i eglwys, gan gredu nad oes gan yr eglwys ddim i'w gynnig sydd yn berthnasol i'w bywyd. Crefydda maent yn yr eglwysi – cadw crefydd i fynd mewn diwylliant sydd yn gwbl amherthnasol i'n cyfnod. Mae'n anodd iawn credu y gallai Iesu o Nasareth fod yn rhan o grefydda o'r fath. Mae'n llawn cysuron i'r ffyddloniaid, wrth gwrs, ond nid yw'n gaeth iddynt.

Dim ond 7% o blant Cymru sydd yn perthyn i eglwys.
8.6% o boblogaeth Cymru sydd bellach yn addolwyr cyson.
Ar gyfartaledd mae eglwysi Cymru yn colli 11,000 o aelodau yn
flynyddol.

Un o'r prif resymau pan nad yw'r genhedlaeth hon yn mynd i'r
capel/eglwys yw nad oedd eu rhieni yn mynd chwaith.

– UK Christian Handbook 1998-1999

Rhaid cofio fod llawer o elfennau gwerthfawrocaf Ewrop
yn y gorffennol dan fygythiad tranc hefyd... wrth farw i lawer o
hen amgyffrediadau ohoni y mae hi (Cristnogaeth) wedi ennill ei
gafael ar y ffurf i fyw. Gwers galed i'r eglwys yn ogystal a'r
unigolyn yw 'Oni syrth y gronyn gwenith i'r ddaear a marw...'

– J E Caerwyn Willimas yn ei Ragymadarodd i 'Gogoneddawg
Arglwydd...' Llenyddiaeth Gristnogol Cymraeg y Canrifoedd

Roedd Iesu a minnau yn perthyn i'r un dosbarth – dosbarth
canol gweithiol, Iddewig. Fe wn i fod Cristnogion yn hoffi
meddwl ei fod ymhlith y tlotaf o'r tlodion, ond eu rhamantiaeth
a'u snobyddiaeth hwy sy'n cyfrif am hynny. Yn is na'i deulu yn
Nasareth – teulu o bwys yn y pentref – yr oedd y tlodion di-
freintiedig ac yn is na'r rheini y caethweision nad oes cyfrif
ohonynt. Efallai na fuasai Iesu yn byw yn Golders Green, ond fe
allai yn hawdd fyw yn Hackney neu Stoke Newington.

– Lionel Blue, My affair with Christianity

Nid oes angen cyfiawnhau bod cyfrol â'r teitl, *Iesu'r Iddew a Chymru 2000* yn cael ei chyhoeddi eleni. Nid oes angen ymddiheuro chwaith, ond mae angen egluro. Erbyn i'r gyfrol fechan hon weld golau dydd fe fydd y milflwyddiant naill ai wedi diflasu pawb neu wedi mynd i ebargofiant gan adael llond gwlad o lyfrau, casetiau, fideos a rhaglenni, heb sôn am adeiladau, nwyddau a digwyddiadau – a'r cyfan yn atgofion am ddathliadau a fu. Fe fydd dathliadau'r milflwyddiant wedi gadael llawer o gwestiynau ynglŷn â gwerth a phwrpas holl ddiwylliant y milflwyddiant. Ychydig o sylw a roddwyd i'r ffaith mai yn 2001 y dylid bod yn dathlu beth bynnag! Ni fu prinder sinigiaeth ynglŷn â'r dathlu na beirniadaeth ohono chwaith ac fe fydd rhyw lyfr hanes neu'i gilydd yn y dyfodol yn dweud, 'dim ond y dôm' gan gofio i hwnnw fod yn fethiant trychinebus o ran tanio'r dychymyg a denu'r miliynau. Dwysáu'r feirniadaeth wnaeth Prif Weinidog Prydain wrth fynnu'n wenog fod y dôm hwnnw yn 'fuddugoliaeth rhagoriaeth ar gyffredinedd'. Rhag ofn, felly, fod yna rywun eisoes yn gofyn, 'Pam llyfr arall?', mae'n well egluro.

Sut Gymru – y Gymru Newydd?

Efallai ei bod yn wir dweud mai milflwyddiant y cyfryngau a flaswyd yn bennaf wrth groesawu'r flwyddyn 2000. Darluniau dramatig o ddathliadau croesawu'r flwyddyn newydd ym mhedwar ban fydd yn aros ym meddyliau llawer iawn o bobl – gweld codiad haul ar bob cyfandir! Gwyrth technoleg gyfathrebu fu'r cyfan; ac mae Cymru hithau yn rhan o'r diwylliant newydd a rhyfeddol hwn. Dathlu heb symud! Ac fe ddathlodd miloedd o Gymry ddyfodiad y milflwyddiant yn eistedd yn y gadair drwy'r dydd yn rhythu ar y bocs a ddaeth â'r byd i'w cartref. Mae cyfrwng y dathlu yn ein hatgoffa bod diwylliant Cymru wedi newid yn syfrdanol ac eto, ymysg y genhedlaeth ganol oed a'r hŷn, testun galarnad yw'r sôn am y diwylliant newydd hwn ar waethaf y ffaith ei fod yn ddiwylliant deinamig iawn.

Mewn un mis, yn chwarter cyntaf y flwyddyn 2000 yn Aberystwyth fe gynhaliwyd tair Gŵyl – a'r tair yn brawf pellach o ddadeni diwylliannol y Gymru newydd. Gŵyl *Agor Drysau* oedd un. Gŵyl ddrama a drefnwyd gan Gwmni Arad Goch (un o nifer o gwmnïau Theatr mewn Addysg gweithgar ac arloesol Cymru). Yn hon gwelwyd nifer o gwmnïau rhyngwladol yn perffomio dramâu ar gyfer plant ac ieuenctid gan edrych gydag egni a dychymyg grymus ar fywyd a phroblemau pobl ifanc a'r gymdeithas y maent yn rhan ohoni. Gŵyl Ffilm a Theledu Geltaidd oedd y llall a chriw lliwgar y byd rhyfedd hwnnw yn dathlu doniau a datblygiad y cyfrwng yn y gwledydd Celtaidd. Wrth siarad yn yr ŵyl honno a thynnu sylw at ansawdd y diwydiant a'r diwylliant y dywedodd Ron Davies, cyn-Ysgrifennydd Cymru, ei bod yn profi nad ar fara yn unig y bydd dyn fyw. Mewn geiriau eraill, roedd angen mwy nag arian i'r ffilm, *Hedd Wyn*, gael ei henwebu am Oscar yn ddiweddar! Roedd angen doniau ac egni. Yn yr ŵyl ar ddechrau 2000 fe ddangoswyd y ffilm animeiddio, *Gŵr y Gwyrthiau/Man of Miracles* – cyd-gynhyrchiad gan Gymru a Rwsia, ac enghraifft ardderchog o'r diwylliant cyfoes a newydd. Bu ugain miliwn o Americanwyr yn gwylio'r ffilm ar Sul y Pasg 2000, cyn i'r mwyafrif o bobl Cymru ei hun hyd yn oed ei gweld! Mae'r ffilm yn greadigaeth ryfeddol. Yna o fewn ychydig ddyddiau, y drydedd ŵyl, sef *Cymru a'r Cymry 2000*, cynhadledd fawr wedi ei threfnu gan Y Ganolfan Uwchefrydiau Cymreig a Cheltaidd yn Aberystwyth. Roedd y gynhadledd wedi cynnull arbenigwyr o blith haneswyr llên a diwylliant Cymru ynghyd â meddylwyr gorau y gwledydd Celtaidd a phobl sydd, nid yn unig yn adnabod ein gorffennol, ond sydd hefyd yn medru dehongli arwyddion yr amserau yng Nghymru. Roedd y gynhadledd hon, fel y ddwy ŵyl arall, yn arwydd fod yna egni a bywyd yn niwylliant Cymru, a bod dadeni ym maes hanes Cymru hefyd. Ar ddechrau'r gyfrol hon, mae'n werth tynnu sylw at y ffaith fod Cynhadledd *Cymru a Chymry 2000* wedi trefnu gwibdaith i ymweld â Llangeitho a Llanbadarn ac, er nad yw hynny'n syndod, mae yn codi cwestiwn diddorol ynglŷn â phwrpas yr ymweliadau.

Dyna dri digwyddiad mewn un lle ddechrau'r flwyddyn 2000, a'r tri digwyddiad yn dathlu'r Gymru newydd a'r dadeni diwylliannol. Gellid yn hawdd ychwanegu: llwyddiant cerddorol yn y byd roc a'r clasurol; to newydd o feirdd a dramodwyr o blith y Cymry Cymraeg a'r Cymry di-Gymraeg; beirdd ac awduron ifanc sydd wedi rhoi hyder newydd i lenyddiaeth Gymraeg, a'r dystiolaeth amlwg fod dadeni wedi digwydd yn y celfyddydau gweledol yng Nghymru. Digon felly i brofi ac i bwysleisio ein bod mewn cyfnod arbennig o gyffrous yn hanes Cymru. Hawdd iawn hefyd yw bod yn ddychanol wrth sôn am ddathlu 'Cymru.com', ond ni ellir gwahanu diwylliant, diwydiant ac addysg yn y Gymru newydd! Law yn llaw â'r datblygiadau hyn – ac nid ar wahân iddynt – fe fu'r flwyddyn 1999 wrth gwrs yn flwyddyn o ddathlu gwleidyddiaeth newydd Cymru, ac mae mwy na digon o ysgrifennu a dadansoddi wedi bod ar hynny. Y Gymru newydd hon a roddodd ei stamp ar ddathlu'r milflwyddiant.

Cymru 2000 OC?

Wrth groesawu'r flwyddyn 2000, er hynny, mae'r ofn a goleddai llawer o bobl wedi cael ei wireddu. Ofn oedd hwnnw y byddai Iesu o Nasareth – yr unig reswm dros ddathlu 2000/01 – yn cael ei anghofio yng nghanol y dathlu; neu yn denu ambell gyfeiriad cyffredinol a nawddoglyd na fyddai yn ddim mwy na sentiment neu ystrydeb neu atgof. Fe gafodd Cristnogion Prydain y cyfle i fod yn bresennol yn nathlu Nos Galan ar y teledu, ond gwachul iawn fu'r cyfraniad hwnnw; o'r ddau funud a gafodd Archesgob Caergaint am 11.40 pm i ddim byd o gwbl ar S4C. Siarad â'i gilydd fu Cristnogion ofnus Cymru ac ni chlywodd gweddill Cymru ddim am wir ystyr y dathlu. Dau gan mlynedd yn ôl, yn 1799, ac ar drothwy'r bedwaredd ganrif ar bymtheg, fe ysgrifennwyd llyfr o'r enw, *Cristnogaeth i'r dirmygus ddiwylliedig*, yn yr Almaen. (Teitl y cyfieithiad Saesneg yw *Christianity to its cultured despisers*.) Yr awdur oedd Henrich Schleiermacher, tad diwinyddiaeth fodern yn ôl rhai, a'i fwriad oedd cyrraedd y rhai 'diwylliedig' yn yr Almaen a oedd – mewn cyfnod o bwyslais mawr ar reswm ac addysg – yn troi cefn ar y ffydd Gristnogol. Ysgrifennodd i genhedlaeth oedd nid yn unig yn ei chael yn anodd credu, ond cenhedlaeth hefyd a honnai fod 'yr oes wedi newid, Mam'. Mae tebygrwydd mawr rhwng cyfnod Schleiermacher a'n cyfnod ni ond nid dyma'r lle i fanylu ar hynny. Digon yma fydd dyfynnu un o'r daliadau a fynega yn ei waith, sef nad o ddigon o wybodaeth y daw digon o ysbrydolrwydd. Rydym erbyn hyn yn perthyn i genhedlaeth a welodd y seciwlareiddio, a ddechreuodd yng nghyfnod Schleiermacher, yn cyrraedd ei eithaf.

Yn gynnar yn 1999 peidiodd y *Western Mail* â chyhoeddi ei golofn grefyddol wythnosol yn Atodiad Sadwrn y papur hwnnw. Pan ysgrifennwyd i ofyn pam, yr ateb a gafwyd oedd eu bod yn chwilio am 'y person iawn' i fod yn gyfrifol am y golofn i olynu cyfrannwr o'r enw Caradog. Yr awdur, Tom Davies, oedd y gŵr hwnnw, un a oedd wedi bod am rai blynyddoedd drwy gyfrwng ei golofn yn canu marwnad eglwysi Cymru. Esgus oedd y cyfan gan y *Western Mail* gan nad yw'r golofn wedi ymddangos ar ôl hynny. Nid bod colli colofn grefyddol mewn papur yn ddiwedd y byd, ond mae'n arwydd pellach nad yw crefydd yn chwarae unrhyw ran ym mywyd y Gymru newydd. Pan gyhoeddodd y *Western Mail* Atodiad swmpus, *Cymru 2000*, oedd yn ceisio rhoi darlun o fywyd Cymru ddechrau'r ganrif, nid oedd unrhyw gyfeiriad ynddo at Archesgob newydd Cymru a etholwyd ym mis Tachwedd 1999, ac mae hyd yn oed y papurau newydd yn barod i roi rhyw fath o sylw i bobl fel archesgobion! Rydym, heb unrhyw amheuaeth, yn byw mewn Cymru newydd ac mae'r wasg a'r cyfryngau wedi meddiannu'r hawl i ddiffinio'r Gymru newydd honno.

Mae'r dirmygus diwylliedig yn bod yn y Gymru newydd hon. Mae'r ystadegau ers degawdau wedi profi hynny. Hawdd iawn, ond peryglus hefyd, fyddai ystrydebu a chyffredinoli ond mae angen bod yn deg a'u disgrifio yn fwy manwl. Nid pobl wrthgrefyddol, ddi-gred ydynt ond, maent i bob golwg yn ystyried yr eglwysi yn gwbl amherthnasol i'w bywyd. A defnyddio priod-ddull Saesneg, maent wedi pleidleisio â'u traed ers llawer dydd. Mae'r rhesymau am hynny yn gymhleth. Efallai nad yw'r mwyafrif o Gymry yn ystyried bod yr eglwysi yn agored iddynt bellach. Maent dan yr argraff bod yn rhaid iddynt dderbyn 'pecyn cyfan y ffydd' cyn cael yr hawl i rannu ym mywyd yr eglwysi. Ai dyna'r argraff sydd wedi ei rhoi iddynt, sef bod cred gadarn ein tadau yn amod cael perthyn? Fe allasai hynny fod yn un rheswm dros y cilio. Gobeithio y daw yn amlwg yn y gyfrol hon mai cam mawr â'r Efengyl yw meddylfryd o'r fath. Rydym wedi canu clodydd y 'blychau sgwâr afrosgo, trwm' fel petaem yn canu, 'Aros mae'r mynyddoedd mawr'. Mae'n bryd agor y blychau – neu'r bocsys. Daeth yn amser i chwalu muriau o'r fath. Daeth yn hen bryd dweud nad oes raid cario'r bag (neu'r gist!) sydd yn llawn dillad a geriach a thraddodiadau'r ddwy fil o flynyddoedd. Mae'r bag yn rhy drwm. Mae mawr angen dadbacio yn y flwyddyn 2000.

Iesu'r Iddew

Iesu'r Iddew sy'n dioddef yn fwy na neb. Nid bwriad y gyfrol hon yw ennill pobl i'r eglwysi na'u troi'n ôl tuag at y Gristnogaeth draddodiadol; ond rheidrwydd, ar droad ei filflwyddiant, yw gadael i Iesu o Nasareth siarad drosto'i hun. Dyma a geisiodd Schleiermacher ei wneud yn ei ddydd yn yr Almaen, gan ddechrau ymdrech sydd wedi parhau oddi ar hynny i fynd yn ôl at Iesu hanes. Roedd Schleiermacher yn ysgolhaig o ddiwinydd, ond unig gymhwyster awdur y gyfrol hon yw iddo fod yn weinidog yn y Gymru Gymraeg yn nyddiau'r dirywiad mawr! Mae ceisio mynd yn ôl at Iesu ddoe a gadael iddo siarad drosto'i hun yn amhosibl oherwydd, ar ein gwaethaf, rydym am ei gyflwyno o'n safbwynt ni ein hunain onid ar ein telerau ein hunain. Dyma sydd wedi digwydd dros dair canrif bellach. Dyma wnaeth y Llydawr, Ernest Renan, yn 1864 wrth gyflwyno bardd rhamantaidd o Grist poblogaidd, a ddaeth, a dyfynnu gwraig o'r enw Margaret Allen, yn *'matinee idol'* o Grist y ffilmiau Hollywood cynnar. Pan geisiodd Albert Schweitzer fynd yn ôl at Iesu hanes yn 1906 yr oedd eisoes 200 o lyfrau am ei fywyd wedi eu cyhoeddi mewn canrif. Mae'r peryglon o'i greu ar ein llun a'n delw ein hunain yn fawr i'r gyfrol hon fel i bob cyfrol arall.

Yn y blynyddoedd er yr Ail Ryfel Byd bu datblygiad

eithriadol o bwysig a thoreithiog yn yr ymchwil am Iesu hanes; datblygiad nad yw wedi cael fawr o ddylanwad ar eglwysi Cymru hyd yma. Mae darganfod Iesu hanes yn golygu – a dyma'r datblygiad – mynd yn ôl at Iesu'r Iddew. Daeth yn gwbl amlwg na all Iesu siarad drosto'i hun oni bai ei fod yn cael gwneud hynny fel Iddew, ac na ellir ei ddeall nac ymateb iddo ond yng nghyswllt ei fywyd Iddewig. Erbyn hyn, am y tro cyntaf er dyddiau'r Testament Newydd, mae Iddewon a Christnogion wedi bod yn cydweithio i ddod ag Iesu'r Iddew i'r golwg. Gobeithio y bydd y gyfrol hon yn gyfraniad bychan i'w ddadbacio a'i ddadwisgo, ei ryddhau o gaethiwed diwinyddiaeth a diwylliant, credoau a thraddodiadau. Mae'n rhaid i ddathlu'r flwyddyn 2000 fod yn gyfle i wneud hynny, cyfle na ellir ei golli.

Ceidwadaeth grefyddol anoddefgar

Rydym mewn cyfnod o dwf aruthrol mewn ceidwadaeth grefyddol drwy'r byd. Mae'r hyn sydd yn digwydd yn Indonesia ac mewn rhannau o India yn ddigon i brofi hynny. Mae mwy nag un agwedd i'r geidwadaeth hon. Un math yw'r geidwadaeth draddodiadol eglwysig, sydd am warchod, doed a ddelo, y sefydliad eglwysig fel ag y mae, gan gredu fod traddodiadau ac arferion wedi eu creu yn y ne,foedd! Fe fydd y geidwadaeth honno yn chwarae rhan yn y gyfrol hon. Ond mae ceidwadaeth arall hefyd. Mae elfen adweithiol geidwadol (ac anoddefgar) wedi bod yn rhan o'r twf crefyddol ers blynyddoedd, ac wedi treiddio'n ddwfn i'n plith yng Nghymru erbyn hyn. Mae'n hawdd deall y geidwadaeth hon a sut mae hyn wedi digwydd. Adwaith ydyw i'r trai, y diffyg argyhoeddiad a'r colli gafael ar sylfeini'r ffydd sydd wedi gadael Cymru ar ddiwedd 1997 â llai na 12% o'i phoblogaeth â chysylltiad â'r eglwysi a dim ond 8% yn addolwyr cyson. Mewn sefyllfa o'r fath mae honni mai dychwelyd at y Gristnogaeth Feiblaidd, uniongred, draddodiadol yw'r unig ateb yn gwbl ddeall-adwy, ond yn ddychrynllyd o beryglus ac arwynebol. Mae'n fater o bryder mai'r eglwysi ceidwadol eu pwyslais (sy'n awyddus i arddel yr ansoddair 'uniongred' i'w disgrifio eu hunain) yw'r eglwysi sydd wedi bod yn tyfu ac yn llwyddo yn ystod ail hanner yr ugeinfed ganrif. Nid yw llwyddiant ystadegol ynddo'i hun yn profi dilysrwydd a gwerth unrhyw beth, wrth gwrs. Y *Sun*, er enghraifft, yw'r papur dyddiol Prydeinig sydd â'r cylchrediad mwyaf o bell ffordd (ymhell ar y blaen i bapurau dyddiol eraill yng Nghymru, gyda llaw). Ond nid yw hynny'n profi mai yn y *Sun* y mae'r newyddiaduraeth orau! Mae hyn yn wir hefyd yn grefyddol. Gwelwyd twf yn y geidwadaeth sydd yn ystyried 'goddef-garwch' yn air peryglus. Wyneb yn wyneb â cheidwadaeth felly mae'n rhaid meithrin goddefgarwch, wrth gwrs, ond nid rhywbeth meddal yw goddefgarwch chwaith, ac y mae amser i roi safbwynt gwahanol. Nid yn unig y mae ceidwadwyr uniongred am fynnu bod y gwir yn llawn ac yn gyfan ganddynt ond maent am fynnu hynny drwy ddibrisio a beirniadu Cristnogion eraill 'nad ydynt o'r gorlan hon'. Iddynt hwy, rhyddfrydiaeth yw y diafol ac mae'r lladd ar y rhyddfrydiaeth honno yn hollbwysig wrth iddynt gyhoeddi'r Efengyl. Mae hyn yn nodwedd arbennig o'r geidwadaeth hon. Dyma'r rhai sydd hefyd yn mynnu rhoi 'y capeli' i gyd yn yr un dosbarth gan honni, yn ddiflas o gyson, nad yw mynd i'r capel yn eich gwneud yn Gristion, fel petai hynny'n rhyw wirionedd newydd ac ysgytwol!

Bu sawl ymdrech dros y blynyddoedd i ddangos parodrwydd i gyd-weithio â phob carfan a phwyslais o fewn y ffydd Gristnogol, ac mae'r enwadau crefyddol ar y cyfan wedi ceisio osgoi carfanu gan gredu bod goddefgarwch yn egwyddor i'w chofleidio. A defnyddio'r term Anglicanaidd, mae pob enwad yn awyddus iawn i fod yn 'eglwys eang'.

Ond mae'r enwadau traddodiadol a'u rhyddfrydiaeth honedig wedi dod dan lach yr uniongred ceidwadol yn ddibaid ers blynyddoedd lawer. Hyd syrffed rydym wedi clywed mai cyfaddawdu ar y gwirionedd a gwadu'r sylfeini Beiblaidd sydd wedi arwain yr eglwysi i'r cyflwr y maent ynddo. Mae'n rhaid herio a chwalu'r dehongliad arwynebol a chamarweiniol hwn. Y gwirionedd yw bod ochr arall i hanes y dirywiad. Onid aeth iaith y pulpud, iaith draddodiadol crefydd, yn ddiystyr i lawer o bobl? Onid yw ailadrodd ystrydebau a hen dermau wedi diflasu pobl yn llwyr? Onid undonedd y neges a diflastod trymaidd yr iaith a aeth yn ddiystyr ac a rwystrodd genhedlaeth ar ôl cenedlaeth rhag clywed galwad a her Iesu? Dyma'r ailadrodd sydd wedi gwneud i Efengyl bywyd ei hun, a dyfynnu un diwinydd, ymddangos fel petai wedi ei throi 'yn un gân ar un record neu dâp i'w chwarae drosodd a throsodd a throsodd... hyd syrffed ysbrydol'.

Nid oes gan neb, ond Duw, y gwir i gyd yn gyfan. Nid ystrydeb yw dweud hynny, ond anghenraid. Os nad yw credu hynny yn ganolog i bob crefydd, ac yn arbennig i'r grefydd Gristnogol, yna nid oes dim o'n blaenau ond mwy o wrthdaro a rhagfarnau. Ofnir hynny wrth ddarllen geiriau fel hyn yn un o gyhoeddiadau Mudiad Efengylaidd Cymru, sef cyfrol i ieuenctid ddathlu'r milflwyddiant:

Does dim gobaith mewn un man arall ond yng Nghrist. Nid oes iachawdwriaeth mewn un enw arall. Dyna yw'r meddwl Cristnogol ar waith; mae'n hollol ac yn gyfan gwbl anoddefgar o unrhyw safbwynt arall. Rydym ni'n credu rhywbeth gwahanol. Felly mae'n frwydr, mae'n wrthdaro. Does dim lle i gyd-weithio.

(*Ennill Cymru i Grist*, tud 24. Gwynn Williams, Gwasg Bryntirion)

Dyna eiriau sydd yn codi llawer iawn o gwestiynau: tra'n

dweud un peth, mae'n bygwth rhywbeth arall. Nid tynnu sylw yn arbennig at y geiriau yna yw'r bwriad ond eu dyfynnu am eu bod yn nodweddiadol o'r twf mewn ceidwadaeth anoddefgar. Fe ŵyr awdur y geiriau cystal â neb na all y natur ddynol ddelio ag anoddefgarwch (ac mae'r awdur yn annog hynny), oherwydd mae anoddefgarwch yn troi ymhen dim yn rhagfarn ac yn gasineb. Mae hanes wedi profi hynny! Os nad yw crefydd yn mynd i wneud y byd yn well lle, yna nid oes fawr o werth iddi. Mae mewn perygl o roi i'r grefydd honno – ei thraddodiad, ei defodaeth a'i hawdurdod – le pwysicach nag i Dduw ei hun. Mae'n anghofio mai gan Dduw ei hun y mae'r gwir i gyd – cred a oedd yn sylfaenol i Iesu'r Iddew. A chofio hynny yw sylfaen gostyngeiddrwydd.

Mae'r flwyddyn 2000 yn gyfle i Gristnogion ddarllen arwyddion yr amserau. Fe ŵyr y Cristion, wrth gwrs, mai Adfent a Nadolig 2000 yw'r amser i ddathlu'r milflwyddiant, ond roedd yn rhaid rhoi sylw i droad y ganrif fel amser i ddathlu hefyd yn unol â gweddill y byd. Mae nifer o gyfrolau wedi rhoi sylw i hanes y ffydd Gristnogol yng Nghymru. Yn eu plith mae cyfrol ardderchog Densil Morgan, *The Span of the Cross*, sy'n trafod hanes Cristnogaeth yn yr ugeinfed ganrif yng Nghynmru, a chyfrolau gan Robert Pope, Dorian Llewelyn a Trystan Hughes ar wahanol agweddau ar ein hetifeddiaeth Gristnogol. Cyfrolau Saesneg yw'r rhain i gyd. Mae cyfrolau eraill wedi eu hanelu at ddysgu sylfeini'r ffydd Gristnogol i oedolion (megis cyfrol Elfed ap Nefydd Roberts, *Iesu Grist ddoe a heddiw*) i ieuenctid ac i blant. Mae *Tuag at y Mileniwm* gan Glyn Tudwal Jones (1998) yn gyfrol ardderchog i ddeall syniadaeth a datblygiadau yr ugeinfed ganrif.

Bwriad gwahanol sydd tu ôl i'r gyfrol hon. Efallai y bydd yn llenwi rhyw fwlch yn y cyhoeddiadau Cymraeg, oherwydd mae wedi ei hanelu, nid at y ffyddloniaid na'r rhai sydd â diddordeb yn y gorffennol crefyddol, ond at y nifer gynyddol o Gymry Cymraeg diwylliedig sydd wedi hen droi cefn ar yr eglwysi. Nid dadansoddi'r argyfwng a manylu arno eto fyth yw'r bwriad chwaith, ond cyflwyno her a sialens efengyl Iesu'r Iddew i'r Gymru newydd.

Ni, y dosbarth canol Cymraeg

Mae cyfeiriad wedi ei wneud eisoes at y dosbarth canol. Un teitl a ystyriwyd ar gyfer y bennod arbennig hon oedd 'Iesu, yr Iddew Cymraeg Dosbarth Canol'! Mae'r awgrym, wrth gwrs, yn ymylu ar fod yn gableddus. Wedi'r cyfan dyma'r union beth na ddylid ei wneud ag Iesu – ei uniaethu ag unrhyw ddosbarth na hil na chenedl. Onid dyna a ddigwyddodd wrth ei gyflwyno fel Iesu Gwyn neu Iesu Ewropeaidd yn Affrica ac fel Iesu Almaenig yn yr Almaen? Mae gwenwyn gwaethaf y ddynoliaeth yn yr awgrym, ac mae wedi bod yn sail i hiliaeth a chasineb.

Un sylw cyson am yr eglwys yw ei bod 'wedi mynd yn eglwys ddosbarth canol'. Mae pawb yn dweud hynny ac yn ei ddweud yn arbennig am yr eglwys yn Ewrop. Eglwys ddosbarth canol ydyw ac mae'n rhaid derbyn hynny fel ffaith, er bod digon o enghreifftiau o eglwysi sydd ym mhell iawn o fod yn ddosbarth canol. Nid yw'r disgrifiad yn un sydd yn bodloni'r eglwys ei hun wrth iddi geisio ym mhob ffordd gael gwared â'r ddelwedd honno. Ond mae hynny yn amhosibl, ac mae'n well cydnabod a derbyn hynny. Eglwys ddosbarth canol sydd yng Nghymru.

Cyfrol Gymraeg yw hon, a'r Gymraeg fydd cyfrwng y cyfathrebu. Drwy'r iaith hon ac yn yr iaith hon mae efengyl Iesu yn cael ei chyflwyno. Nid yr un fyddai'r iaith yn Nicaragua, Dwyrain Timor neu Rwanda. Pobl ddosbarth canol hefyd fydd yn darllen y gyfrol, ac nid oes arlliw o ragfarn na beirniadaeth, mewn dweud hynny. Dyma'r bobl sydd yn prynu ac yn darllen llyfrau Cymraeg. Petai'r gyfrol hon yn cael ei chyfieithu i'r Rwseg fe fyddai'n rhaid, nid yn unig ei chyfieithu, ond ei haddasu hefyd. Ond pwysicach na hynny yw cydnabod na fyddai'r gyfrol fawr o werth i bobl Rwsia beth bynnag, oherwydd mae eu diwylliant a'u cefndir hwy yn wahanol. Mewn geiriau eraill, mae'n gyfrol sydd wedi ei hysgrifennu i un garfan fechan mewn gwlad amrywiol iawn ei phobl, ac mae modd o hyd adnabod Cymry Cymraeg dosbarth canol ynddi.

Wrth gwrs, mae sôn am ddosbarth canol Cymraeg yn codi cant a mil o ysgyfarnogod! Dyma'r dosbarth sydd dan y lach yn barhaus. Dyma bobl y BMW a'r delyn; pobl y cyfryngau, Caerdydd a'r eisteddfod; cystadlu a cherdd dant; ysgolion cymraeg a Merched y Wawr ; y capeli Cymraeg mewn ardaloedd Seisnig, a charafanwyr Cymru â'u barbiciw gwin ac ati. Dyna'r darlun sydd wedi gwneud y dosbarth canol hwn yn destun dychan a gwawd ac mae bod yn un ohonynt yn gallu bod yn faich ac yn boen. Erbyn hyn, a diolch am hynny, mae blynyddoedd o dwf addysg Gymraeg, rhaglenni teledu fel *Pam fi Duw?* a *Tair Chwaer* a llawer agwedd arall ar ddiwylliant y Gymru newydd yn codi'r cwestiwn, a yw'n gywir bellach uniaethu Cymreictod â'r dosbarth canol honedig hwn? Rydym bellach mewn cyfnod gwahanol iawn ac mae pobl yn anhapus iawn i neb arall benderfynu beth yw bod yn Gymro neu Gymraes. Mae'n sefyllfa sy'n ein gorfodi i ystyried ymhellach beth yw lle a chyfraniad y dosbarth canol traddodiadol Cymraeg yn y Gymru gyfoes.

Gwerin a fu

Rydym, fel Cymry, wedi ymhyfrydu yn y werin Gymraeg ddiwylliedig. Nid sentiment na rhamantu yw sôn am y werin honno oherwydd yr oedd hi'n bod, ac mae digon o raglenni radio a theledu wedi canu ei chlodydd a hiraethu amdani dros ddathliadau'r milflwyddiant. Dyma'r werin y dywedir iddi godi'r capeli a'r colegau, a'r werin hon â'i phwyslais ar addysg a ddatblygodd drwy ei phlant yn ddosbarth canol ail hanner yr ugeinfed ganrif. Mae llawer o'r plant hyn yn hoff o feddwl amdanynt eu hunain fel 'y werin' wrth ganu 'Rym ni yma o hyd', ond y maent ymhell iawn o fod yn werin datws.

Mae'r dosbarth canol hwn wedi bod yn ffyddlon i'r 'pethe' ac yn parhau i fod felly. Dyma'r bobl fu'n ffyddlon i Gymru a'i diwylliant yn nyddiau'r trai a'r argyfwng. Rhaid cofio mai o'r dosbarth yma y daeth ymgyrchwyr glew dros addysg Gymraeg, dros statws i'r Gymraeg a thros gynnal diwylliant y llyfr a'r eisteddfod. Arweinwyr y dosbarth hwn a aeth mor bell â thorri'r gyfraith ac wynebu carchar ac, yn achos Gwynfor Evans, bygwth ymprydio hyd farwolaeth, er mwyn cael sianel deledu Gymraeg. Mae ein parhad fel pobl yn glod i weledigaeth ac ymdrechion pobl fel hyn. Lleiafrif oeddynt wrth gwrs, a mud oedd y mwyafrif o bob dosbarth. Ac os yw dyddiau argyfwng yr iaith trosodd, fel yr honna rhai (ac y mae yn honiad ysgubol), mae hynny hefyd oherwydd brwydr hir y gorffennol. Erys, er hynny, un gwahaniaeth mawr rhwng gwerin doe a dosbarth canol heddiw.

I fwyafrif y dosbarth canol heddiw, nid yw'r 'pethe' yn cynnwys bywyd yr eglwys. Maent yn ystyried ei bod yn gyfrifoldeb arnynt barhau'r gwaith o adfer ac amddiffyn ein cymunedau a'n cenedl, ond nid yw'r eglwys yn hanfodol i'r bywyd hwnnw. Maent am weld eu plant yn cael pob cyfle addysgol, diwylliannol ac economaidd ac maent yn awyddus, ar y cyfan, i'w plant gael crefydd yn yr ysgol ddyddiol a hyd yn oed mynychu'r ysgol sul. Yn wir y maent yn gefnogol iawn i'r eglwys. Ond nid ydynt yn ystyried yr eglwys yn ganolog i'w bywyd hwy eu hunain; do, bu'n rhan o'u gwreiddiau yng nghefn gwlad neu'r cymoedd, ond yn eu bywydau heddiw, na.

Mae mwy nag un rheswm dros hynny, ac awgrymwyd rhai yn barod. Yn yr oes ôl-fodernaidd, ystyrir mai mater personol, onid preifat, yw crefydd ac na ddylid ar unrhyw gyfrif ei gwthio ar blant. Mae llawer iawn yn amheus iawn o'r eglwys oherwydd ei cheidwadaeth a'i rhagfarn a'i – a dyma'r gŵyn sydd i'w disgwyl gan y beirniaid – rhagrith. Mae methiant yn magu methiant hefyd, ac mae cyfran uchel o'r boblogaeth yn credu bod yr eglwys fwy neu lai wedi marw. 'Welwn ni ddim arwydd bywyd yn unman,' meddant, 'does yno ddim i'n denu o gwbl.' A phwy a wêl fai arnynt am feddwl felly? Mae ganddynt lawer iawn o gwestiynau i'w gofyn ynglŷn â ffydd a chred er bod lle i ofni yn aml mai cwestiynau rhethregol ydynt. Mae'n ymddangos eu bod, i bob pwrpas, wedi peidio â chredu ac nad yw ffydd na chred yn bwysig iddynt. Ond mae yr un mor wir i ddweud eu bod yn dangos anwybodaeth ynglŷn â'r ffydd a bod yr anwybodaeth honno yn annheg â'r eglwys yn ei gwendid ac yn fwy annheg fyth â Christnogaeth ei hun. Mae'r sylwadau a glywir o bryd i'w gilydd ar y cyfryngau, a'r *soundbites* a ddaw gan newyddiadurwyr, yn aml yn profi bod newyddiadurwyr hefyd *out of touch* mewn ffordd na fyddent yn meiddio bod mewn unrhyw faes arall. Maent yn cael eu porthi gan fythau ac ystrydebau. Mae clywed rhai sydd wedi troi cefn ar yr eglwys yn sôn am wrando ar bregethu sych dair gwaith y Sul yn brawf cyson eu bod yn byw yn y gorffennol pell.

Problemau!

Mae'r dosbarth canol hefyd yn gwybod cystal â neb am chwalfa gymdeithasol a theuluol ddiwedd yr ugeinfed ganrif. Er y buddsoddi o bob math ar gyfer y dyfodol, ni allant fod yn rhydd o ofnau a phryderon personol a theuluol. Mae'r canllawiau a fu mor ganolog – priodas ac uned deuluol yn arbennig – bellach yn cael eu gwrthod gan y plant ac mae'n ymddangos na all y rhieni wneud dim ond derbyn hynny gyda 'mae'r oes wedi newid yn tydi'. Yn y Gymru newydd nid oes i broblemau moesol a phroblemau personol ddim ffiniau dosbarth. Mae cymhlethdod bywyd pobl yn cael ei adlewyrchu yn ddyddiol yn yr operâu sebon ar y sgrin ac yn cadarnhau i lawer mai fel yna mae hi! A'r diwylliant hwn sydd yn wir yn croesi ffiniau dosbarth oherwydd mae cynifer o soseri teledu lloeren i'w gweld ym Mhenrhys ag sydd ym Mhenrhos Bangor. Mae'n ddiwylliant sy'n prysuro'r chwalfa deuluol-gymdeithasol ac nid yw'r seiadau nosweithiol ar aelwydydd *Pobol y Cwm, Eastenders* a *Brookside* yn gwneud fawr mwy na chynnig hanner awr o anghofio drwy ddenu'r gwylwyr i ymgolli ym mhroblemau cyffelyb cartrefi eraill. Nid oes angen ymchwil gymdeithasol na phroffwyd i weld nad yw'r dosbarth canol, fwy na'r dosbarth newydd o dlodion, yn gyfforddus nac yn fodlon eu byd, a'n bod erbyn hyn yn gynnyrch y ganrif fwyaf ansefydlog a welodd Cymru erioed. Mae ymdriniath fanwl o'r holl gwestiynau moesol a chymdeithasol hyn yn '*Cymru – Cymdeithas Foesol?*' a gyhoeddwyd gan Cytun yn 1996.

O gofio'r gwacter a'r ansefydlogrwydd sy'n nodweddu ein bywyd yn y Gorllewin, nid yw'n syndod clywed am yr 'ymchwil am ysbrydolrwydd' sydd ar gerdded, ac mae'n rhaid rhoi'r geiriau mewn dyfynodau oherwydd ei bod yn anodd digrifio'r ymchwil yn iawn. Mae'n ymddangos bod diddordeb mewn ysbrydolrwydd yn tyfu – yn trendi hyd yn oed – fel mae crefydd gyfundrefnol yn chwalu. Fe allwn bellach syrffio ar y We i gael ysbrydolrwydd *a la carte*. Mae'r newyddiadurwraig, Madeline Bunting, yn gynnyrch yr ysbrydolrwydd newydd hwn. Mewn erthygl yn y *Guardian*, 23 Ebrill 2000, mae'n nodi yn gyntaf y ffeithiau cyfarwydd: y bydd Methodistiaid yn Lloegr wedi diflannu yn llwyr erbyn y flwyddyn 2050 a bod yr Eglwys Gatholig Rufeinig yn Lloegr a Chymru yn colli 50,000 o addolwyr yn flynyddol. (Eithr, yn ôl David Barnett yn ei *World Christian Encyclopedia 1900 –2000,* mae 53,000 yn gadael yr eglwysi yn Ewrop ac America yn ddyddiol.) Mae Madeline Bunting yn mynd yn ei blaen i awgrymu mai'r gwirionedd pwysicaf ynglŷn â'n hoes ni yw nid yn gymaint bod crefydd a chymdeithas wedi eu seciwlareiddio ond bod bywyd ei hun wedi dod yn fwy cysegredig. Mae'n ymddangos, meddai, bod canmol rhywun mewn angladd am ei fod ef neu hi yn 'caru bywyd' yn glod i ysbrydolrwydd y person hwnnw. I bobl a gollodd afael ar yr hen eirfa grefyddol daeth *Get a life* yn anogaeth i fywyd gwell! Nid yw pobl bellach yn troi at yr eglwys a'i chyfundrefn oherwydd mae rhyddid a gwahoddiad i bawb ddilyn ei ffordd ei hun i ddarganfod bywyd a'i ysbrydolrwydd. Neges y Gorllewin i'r byd erbyn hyn yw mai rhyddid a dewis a hawl yr unigolyn yw sylfaen popeth. Dyna'r Newyddion Da! Ond y mae hyn hefyd fod yn newyddion drwg. Yn ôl teitl erthygl Bunting ar ddydd Llun y Pasg, 2000, nid rhywbeth i'w ddathlu mewn eglwys yw'r ysbrydol bellach – gan gredu, siŵr o fod, bod hynny yn hoelen arall yn arch yr eglwys. Fe allai'r erthygl honno yn hawdd fod yn erthygl yn *Golwg* neu yn y *Western Mail.*

Cymru Ceredigion, Llŷn ac Eifionydd, a Dyffryn Clwyd...

Yn negfed bennod ei gyfrol, *Hanes Cymru,* wrth drafod y cyfnod 1850–1914, mae John Davies yn cyfeirio at ardal Aberystwyth fel ' bro fwyaf crefyddgar Cymru'. Y gwir yw fod yna sawl ardal arall yr un mor grefyddgar, ond mae'r dewis o ansoddair ynddo'i hun yn ddiddorol! Fe wyddom fod y sefyllfa grefyddol yr un drwy Gymru gyfan, ond yr hyn sy'n wir am ein trefi a'n pentrefi mwyaf yw bod ein holl sefyllfa grefyddol wedi ei chywasgu i un lle. Yr un yw'r darlun cyffredinol. Presenoldeb yr enwadau ym mhob man, gyda'u hadeiladau mawr, eu cnewyllyn ffyddlon ac ymroddgar, eu parodrwydd i gyd-weithio rhywfaint, ond gwarchodaeth enwad a chapel yn rhy ddwfn i ddiflannu. O fewn y sefyllfa yna mae ceidwadaeth grefyddol a diwinyddol yn parhau yn gryf iawn. Mae yna bobl o hyd na wnaiff ond addoli yn eu capel eu hunain. Mae rhai cynulleidfaoedd yn addoli fel petai y capel yn llawn. Ond mae'n bwysig dweud bod yna weithgarwch mawr yn digwydd hefyd heb iddo gael na sylw na chyhoeddusrwydd.

Ym mhob ardal, neu o leiaf o fewn cyrraedd sawl ardal, mae eglwys sydd yn fwy llwyddiannus na'r gweddill. Mae llawer yn teithio pellter i addoli yno ac yn aml mae'r eglwys yn Saesneg ei hiaith, yn efengylaidd neu yn garismataidd ac yn genhadol iawn ei phwyslais. Yn aml y mae Cymry Cymraeg yn dewis addoli yn yr eglwysi hyn. Mae elfennau eraill sy'n rhan o'r 'sefyllfa grefyddol'. Yn y trefi yn arbennig mae sefyllfa'r iaith yn codi ei phen mewn perthynas â chydweithio a chyd-addoli ac mewn rhai mannau y mae Cytun (neu rhyw amrywiaeth o Gyngor Eglwysi) yn cyfarfod fel dau grŵp ieithyddol ar wahân. Mewn llawer ardal hefyd mae eglwysi sy'n gwrthod cydweithio ar sail egwyddor. Yr enghraifft amlwg yw yr eglwysi Efengylaidd sydd yn anfodlon cydweithio gyda'r Eglwys Rufeinig Gatholig. Dyna, mewn ychydig frawddegau, y darlun cyffredin. Mae llawer o enghreifftiau o bethau eraill a gwahanol yn digwydd, wrth gwrs, ond dyma'r darlun cyffredinol ac yn y darlun hwn mae'r eglwysi yn parhau yn eglwysi dosbarth canol beth bynnag yw'r amrywiaeth o ran enwadaeth neu ddiwinyddiaeth.

Iddew dosbarth canol

A dyma ddod yn ôl at Iesu'r Iddew. Ar ôl ceisio diffinio'r dosbarth canol Cymraeg, efallai y byddwn yn ei chael yn anodd uniaethu Iesu'r Iddew â'r dosbarth hwn. Ond mae'n werth gwneud y gymhariaeth. Ar un olwg, tref fechan ddigon di-nôd oedd Nasareth, eto nid oedd ym mhell o'r priffyrdd a gysylltai'r Aifft ag Israel. Roedd yn dref ddigon cymysg ei phoblogaeth, yn ferw o syniadau a chynllwynio cenedl a feddiannwyd gan Rufain Fawr. Roedd yr Aramaeg yn iaith bob dydd, yr iaith Roeg yn iaith a'i dylanwad yn prysur dreiddio'n ddyfnach, yr Hebraeg yn iaith yr Ysgrythurau, a'r Lladin yn iaith swyddogol y gormeswr. Yno y cafodd Iesu ei fagu yn blentyn y gyfraith a'r cyfamod. Ni ellir sôn am ddosbarth canol ymhlith yr Iddewon ond roedd y crefftwyr a'r siopwyr a'r gwŷr busnes yn dda eu byd o gymharu â'r *ammei-ha-aretz* (pobl y tir). Roedd gan Joseff ei grefft a'i fusnes ei hun ac felly roedd yn hunan-gyflogedig ac oherwydd hynny roedd gan Iesu sicrwydd crefft a gwaith, yn wahanol i'r tlodion nad oedd ganddynt na safle na sicrwydd i'r dyfodol. Mae'n wir dweud, wrth gwrs, bod trigolion Palesteina i gyd yn byw yn ddyddiol mewn ansicrwydd mawr oherwydd trethi uchel, gormes Rhufain ac ansefydlogrwydd y cyfnod; roedd yr Iddewon yn genedl ar drugaredd y pwerau mawr. Mae'r wybodaeth sydd gennym am Mair a Joseff yn profi eu bod yn falch o'u gwreiddiau ac fe gafodd Iesu yr addysg Iddewig orau posibl ar yr aelwyd ac mewn synagog a theml. Addysg felly oedd yn gwneud Iddew. Er nad oes gennym fanylion am ei blentyndod, ymddengys iddo gael plentyndod hapus a llawn, oherwydd, ar ôl cyffro a chynnwrf y cyfrifiad dan ormes Augustus Cesar a'r ffoi i'r Aifft, cawsant ddod yn ôl a setlo yn Nasareth. Roedd Joseff a Mair yn ymwybodol eu bod hwy ymysg y rhai breintiedig a gafodd fagu eu plant yn Iddewon ar waethaf gormes Rhufain. Trwythwyd Iesu yn yr Ysgrythurau Sanctaidd mewn cyfnod pan oedd y rhieni yn ymwybodol iawn eu bod mewn dyddiau o newidiadau a bygythiadau mawr i'w Ffydd. Yr Hebraeg oedd iaith yr

Ysgrythur – yr hen iaith – ac roedd Iesu yn gyfarwydd â'r iaith honno er mai'r Aramaeg, yr iaith leiafrifol, oedd ei iaith bob dydd. Erbyn hynny roedd rhannau o'r Beibl Hebraeg wedi eu cyfieithu i'r iaith Roeg hefyd. Roedd cefndir Iesu felly yn debyg mewn llawer ffordd i gefndir Cymry Cymraeg a fagwyd yng nghefn gwlad Cymru ym mhedwar degau, pum degau a chwe degau yr ugeinfed ganrif pan oedd y werin Gymraeg yn newid i fod yn ddosbarth canol Cymraeg. Er bod tuedd yn ystod y blynyddoedd diwethaf i uniaethu Iesu â'r tlotaf o'r tlodion, eto o ran ei gefndir teuluol a chrefyddol mae Iesu'r Iddew yn nes atom ni'r dosbarth canol nag y sylweddolwn. Fe gafodd yr hyn y mae plant a rhieni pob oes yn dyheu amdano, sef yr hawl i gartref ac addysg, i ddiogelwch a llawenydd, er bod y genedl wedi colli ei rhyddid. Nid yn ddamweiniol y galwyd rhai o bentrefi Cymru yn Nasareth, Bethlehem, Cesarea a Saron. Mae yna debygrwydd.

Yr Iddew crwydrol

Yn y gornel fechan hon felly, ac mewn cyfnod fel hwn, y cafodd Iesu ei alw. Mae'r Efengylau i gyd yn rhoi lle canolog i'w fedydd gan Ioan Fedyddiwr ac mae'r bedydd yn cael llawer mwy o sylw nag a gaiff ei eni ym Methlehem. Roedd Ioan Fedyddiwr yn gysylltiad teuluol, crefyddol a chenedlaethol hollbwysig ym mywyd Iesu. Ac, mewn gwirionedd, mae'r Efengyl yn dechrau gyda bywyd y ddau deulu – teuluoedd Mair ac Elisabeth, ei chyfnither. Ni wyddom ddim am flynyddoedd coll Iesu (nid yw'r Efengylau yn sôn amdano rhwng y 12 oed a'r 30) ond mae'n berffaith amlwg nad galwad annisgwyl oedd ei alwad. Roedd yn alwad rhy fawr i hynny. Yno, yn Afon yr Iorddonen, roedd yn ei uniaethu ei hun yn llwyr â'i bobl. Mae'r bedydd ei hun a hanes y temtiad yn yr anialwch yn dangos brwydr fewnol Iesu i geisio dirnad ei alwad a deall sut yr oedd i'w chyflawni; ac ni ellir deall yr un o'r ddau ddigwyddiad yn iawn heb wybod am hanes yr Iddewon. Mae yn y ddau ddigwyddiad adleisiau digwyddiadau eraill yn hanes yr Iddew. Mae'r alwad felly yn codi o'i gefndir a'i wreiddiau: o fywyd ac o ddaear Palesteina y daeth. Yn y blynyddoedd a ddilynodd symudwyd galwad Iesu o'r cefndir Iddewig i fyd o syniadau mwy athronyddol a haniaethol, heb eu gwreiddio ym mywyd pobl a chenedl, iaith a diwylliant ac argyfwng. Mae'n hawdd iawn diwreiddio Iesu a chanlyniad hynny yw ei lastwreiddio a'i amddifadu o'i ddynoliaeth. Iddew ydoedd, ac Iddew a fydd am byth. Gwybod hynny a chofio hynny yw'r sail i'w adnabod a'i ddilyn. Roedd yr hyn a gyflawnodd Iesu mewn gair, gweithred ac aberth yn tarddu yn uniongyrchol o'r hyn ydoedd, sef Iddew, ac o'i berthynas â'i Dad a Duw ei bobl.

Wedi'r frwydr yn yr anialwch, ufuddhau i'w alwad a wnaeth Iesu. Fe roddodd ei fywyd yn llwyr i'r alwad honno ac i ewyllys ei Dad. Roedd ufuddhau yn golygu dewrder ac aberth. Ni adawodd i'w gefndir na'i amgylchiadau personol ei gaethiwo ac fe fu'n rhaid iddo droi cefn ar ddiogelwch teulu a phentref. Ni pheidiodd â bod yn Iddew, oherwydd roedd gŵyl a synagog a theml yn ganolog yn ei fywyd, ond o hyn ymlaen fe ddaeth yn Iddew crwydrol ac roedd hynny hefyd yn hen, hen draddodiad ei bobl. Mae cyffes ffydd gynharaf yr Iddew, ganrifoedd lawer cyn Crist yn dweud, 'Aramead ar grwydr oedd fy nhad' (Deuteronomium 26, 5). Roedd y genedl wedi ei geni o grwydro yn yr anialwch ac wrth symud o gaethiwed i ryddid. Fe ddychwelodd Iesu i Nasareth, wrth gwrs, ond nid i aros yno. Fe groesodd ffiniau dosbarth a chrefydd a chenedl, a daeth yr un mor gartrefol gyda'r *ammei-ha-aretz* (y tlodion) ag yr oedd gyda'r Samariaid a'r Groegwyr a'r Phariseaid. Go brin bod neb arall wedi mentro ei hunaniaeth i'r fath raddau; go brin bod neb arall wedi cymysgu ag eraill fel y gwnaeth ef a go brin bod neb wedi rhoi arwyddocâd mor radical ac mor chwyldroadol i fod yn Iddew. Nid oes neb arall wedi codi pontydd fel y gwnaeth yr un Iddew hwn, ac fe wnaeth hynny heb adael ei wlad, heb droi cefn ar ei wreiddiau a heb grwydro ymhellach na Jeriwsalem. Aeth ar grwydr heb grwydro ond fe wnaeth hynny ar gost enfawr. Fe'i croeshoeliwyd am fynd mor bell. Fe groeshoeliwyd Iesu oherwydd ei fod yn Iddew. Ac mae'n parhau i grwydro, ond mae Iesu'r Iddew crwydrol wedi ei anghofio bron yn llwyr gan yr eglwysi. Dyma arwyddocâd ysgytwol dathlu dwy fil o flynyddoedd oed Crist.

Ond nid yw wedi ei adael ei hun yn ddi-dyst nac yn ddiarwydd ar y ffordd. Yn nes ymlaen yn y gyfrol fe fyddwn yn aros wrth rai o'r arwyddion ac, o wneud hynny yn onest, efallai y byddwn yn cael ein syfrdanu o sylweddoli i'r Iesu aros o gwbl mewn ambell le. Aros, ond mae bob amser yn symud ymlaen a'n gwahodd ninnau i'w ddilyn. Mae yn ei natur i wneud hynny oherwydd nid Iesu llonydd ydyw. Mae'n amhosibl ei ddal. 'Such a fast God, leaving as we arrive',meddai R S Thomas. Dyna natur grwydrol Iesu. Dyna'r gwahoddiad a'r her wrth i ni ei ddilyn a gwrando ar un a fagwyd gyda gwerin ei ddydd ond a lanwyd â gweledigaeth nad oes unrhyw ddosbarth na charfan a all ei dal yn gyfan. Fe ellid dweud mai ei Iddewiaeth yw'r arwyddion – Jeriwsalem, Salmau a Phasg a sawl arwydd arall – ond nid mannau aros yw arwyddion ond cymhorthion i'n symud ymlaen. Ni fu neb â chymaint i'w ddweud na chymaint i'w roi i ni Gymry Cymraeg dosbarth canol, oherwydd mae'n deall ein hamgylchiadau a'n hanawsterau. Mae'n gweld pam a sut yr ydym wedi datblygu'n Gymry newydd heb werthoedd na gweledigaeth teyrnas Dduw i roi cyfeiriad a chadernid i ni.

Ffydd fflat

Yn ychwanegol at yr *apologia* uchod (ac amddiffyniad o'r ffydd yw *apologia*, nid ymddiheuriad amdani) sy'n ceisio rhoi cefndir i'r gyfrol hon, mae angen dweud un peth arall. Fflat iawn yw'r ffydd yn y Gymru Gymraeg. Diogel a gofalus yw'r ysgrifennu ar faterion crefyddol. Er ein bod yn ymhyfrydu yn ein traddodiad crefyddol, prin iawn yw'r ysgrifennu sy'n mynegi calon ein hargyfwng. Trafod yr argyfwng a wnawn, nid ei fynegi. Soniwyd eisoes am y llyfrau sydd wedi eu cyhoeddi ar gyfer y milflwyddiant yn ymdrin â hanes y ffydd. O edrych ar y llyfrau crefyddol a gyhoeddir, mae'n syndod bod criw mor fychan yn medru cyhoeddi cymaint. Ond, yn gyffredinol, cadarnhau, cysuro ac atgoffa y mae'r cyhoeddiadau hyn ac nid herio. Cysuro'r ffyddloniaid ac nid cyrraedd pobl yr ymylon. Mae'r colegau diwinyddol wedi bod yn ddigynnwrf a thawel iawn ers blynyddoedd gan faint eu beichiau i'w cynnal eu hunain. Ysgrifennu ar gyfer ei gilydd y bydd diwinyddion heb fawr o ymdrech i gyrraedd pobl y tu allan i'w cylch cyfyng. Mae ambell gyhoeddiad heriol wedi dod o Lanbedr Pont Steffan, ond nid yn Gymraeg.

Mae gan A N Wilson gyfrol o'r enw, *God's Funeral*. Mae Wilson yn un o'r awduron hynny sy'n gyson herio'r ffydd Gristnogol ac mae'n ddeifiol o feirniadol o'r eglwys y bu yn rhan ohoni ar un amser. (Fe ysgrifennodd gofiant Iesu yn 1992.) Mae'r wasg Saesneg yn llawn o lyfrau gan gyn-Gristnogion fel Wilson, newyddiadurwyr, a nifer fawr o awduron sydd ar gyrion ffydd. Mae eu llyfrau yn rhoi lliw a bywyd yn y ddadl grefyddol. Ond mae'r drafodaeth Gristnogol yng Nghymru mor fflat â chrempog. Mae A N Wilson a'i debyg, lawer ohonynt gyda llaw yn llawn gwawd wrth gyfeirio at y Cymry fel y *'boyos in the chapel'*, o leiaf yn ysgogi trafodaeth. Y tristwch yng Nghymru yw bod mwy o drafodaeth ar fanion bethau crefydd na gwir ddeialog a thrafodaeth ar hanfod y ffydd. Mae Wilson yn dechrau ei gyfrol am angladd Duw drwy ddweud nad yw cwestiwn Duw yn diflannu. Dywed nad oes ond eisiau i un genhedlaeth ddiwylliedig gyfyngu Duw i lyfrau hanes, nad oes yna genhedlaeth arall yn codi yn ei herbyn. Mae'n awgrymu pan fo rhywun fel ef yn cyhoeddi angladd Duw, bydd eraill yn fwy penderfynol eu bod wedi ei weld yn fyw ac yn iach. Wrth gwrs, mae ef ei hun yn mynd ati wedyn i ddryllio delwau, ond o leiaf mae yn ystyried Cristnogaeth yn ddigon pwysig i fynd i'r afael â hi. Ond nid oes neb bellach fel petai'n teimlo yn ddigon cryf yng Nghymru. Gweddw ffydd heb ei gwrthwynebwyr. Marw cred heb ei chynnwrf.

Mae'r un peth yn wir am y cyfryngau poblogaidd yng Nghymru. Fe fu Melvyn Bragg yn ystod 1999 yn cyflwyno cyfres faith ar Gristnogaeth 2000 ar ITV ac yn gwahodd yr uniongred, agnosticiaid, anffyddwyr, Iddewon, esgobion, dramodwyr a newyddiadurwyr i'r rhaglen. Wrth gwrs, roedd anghytuno brwd ac fe gollodd hyd yn oed yr hamddenol Bragg ei limpyn ar un amser. Ond ni chafwyd dim byd tebyg yng Nghymru. Yn gynnar iawn yn 1999, fe geisiodd un cwmni teledu gyflwyno cyfres yn edrych ar ddylanwad y syniad o filflwyddiant a diwedd y byd ar wahanol grefyddau, ond ni wnaeth y gyfres honno gyffwrdd â chwestiynau canolog Cristnogaeth. Ar y llaw arall, ysbrydoli a chalonogi'r saint a wnaeth y ddau wasanaeth a deledwyd ar Sul cyntaf y flwyddyn – Gwasanaeth Cenedlaethol gan Cytûn yn y Tabernacl yng Nghaerdydd (un arbennig iawn) a'r poblogaidd *Songs of Praise* o Stadiwm y Mileniwm. Roedd angen gwasanaethau felly, wrth gwrs. Ond yng Nghymru, ymwneud â ffydd ddigon fflat y mae'r cyfryngau; a'r rhaglen, *Bwrw Golwg*, ar fore Sul ar Radio Cymru yw'r unig raglen bellach sydd am roi ffydd yn y ffau o dro i dro.

Nid yw'r gyfrol hon yn mynd i lenwi'r bwlch hwnnw ond efallai y gwnaiff o leiaf dynnu sylw at y bwlch. Nid oes amheuaeth nad ydym yn byw mewn cyfnod o chwilio ac o holi, o herio ac o newid. Mae'n amlwg fod ysbrydolrwydd yn boblogaidd â'r Tai Encil drwy Ewrop a'r byd yn tyfu ac yn llawn. Ac eto, mae'n amlwg naill ai fod crefydd eglwysig yn amhoblogaidd neu, fel mae'r bennod hon wedi awgrymu, yn cael eu hanwybyddu yn llwyr. Na i'r eglwysi, ie i ysbrydolrwydd! Mae'n rhaid i ysgrifennu crefyddol a Christnogol adlewyrchu'r paradocs a'r ddeuoliaeth ryfedd hon er mwyn ein codi o dir gwastad undonog i dir mwy ffrwythlon ac amrywiol. Neu, a defnyddio hen drosiad sy'n rhoi ystyr mwy Beiblaidd i 'fflat': o deiar fflat sy'n rhwystro'r car rhag symud, i deiar â'i 'wynt' (yr Ysbryd yn y Beibl) yn ddigon i wynebu eira a rhew y cyfnod llithrig hwn yn y Gymru newydd. Mae Iesu'r Iddew yn gartrefol mewn cyfnod felly.

Pennod 2

Duw, Iddew a bod yn feidrol!

Iaith sydd wedi hen golli ei hystyr yw 'yr Iawn' a 'chymod yn y gwaed ' – yn rhy anodd i'w deall wrth ganu emynau Ann Griffiths ac erbyn hyn yn iaith arbenigol i'r rhai sydd yn honni eu bod yn deall. Mae pob lle i gredu y buasai Iesu ei hun yn methu deall beth mae Cristnogion yn ceisio ei ddweud amdano. Yr holl lyfrau! Yr holl bregethu! Yr holl ddiwinydda!

Mae datganiadau'r credoau – gwir Dduw o wir Dduw – yn flynyddoedd-goleuni o bell o adroddiadau'r Efengylau am Iesu yn tyfu mewn cartref Iddewig yn Nasareth. Yn nes ymlaen y dysgais nad oedd hyd yn oed Iddewon a ddaeth yn Gristnogion – a fuasai wedi gwreiddio'r Iesu ddyfnach ym mhridd Iddewiaeth – wedi cael eu gwahodd i Gyngor Calchedon a luniodd y credo. Yr ydym mewn perygl parhaus o adael i Iddewiaeth a dynoliaeth Iesu lithro o'n gafael.

– Philip Yancey, *The Jesus I never Knew*

Y mae pob credo pendant, terfynol – coledder ef gan Brotestant neu Babydd – yn gyfyngiad ar Dduw, ac y mae pob cyfyngiad arno Ef yn eilunaddoliaeth.

– Moelwyn – dyfynnir gan Meurig Llwyd yn *Gair y Dydd*, Ebrill-Mehefin 2000

Rwy'n gweld Iesu fel Iddew crwydrol o wlad Pwyl – poenydiwyd, creithiwyd – yn cyrraedd mewn ing a phoen i ddrws teulu Catholig yn ystod meddiant y Natsïaid ar Bwyl, ac yn gofyn am loches. Mae'r plentyn yn gweiddi ar y rhieni i'r drws "Nhad, mae na Iddew clwyfedig yn y drws ac mae'n dweud mai ei enw yw Iesu". Mae'r rhieni yn gofyn i'r gŵr "Iddew wyt ti? Iesu wyt ti?" Ac mae'r gŵr yn ateb : "Pwy wyt ti yn feddwl ydw i?"

– Byron Sheriwn, 'Iddew, Golwg newydd Iddewig ar Iesu', *Journal of Ecumenical Studies*, 1994

Mae ymdrechion rhyfedd wedi eu gwneud yn ystod yr hanner can mlynedd diwethaf i gyflwyno Iesu fel person o gig a gwaed. Tuedd diwinyddion ac arweinwyr eglwysig ar y cyfan yw wfftio ymdrechion o'r fath gan eu galw yn anghyflawn neu yn gyfeiliornus. Go brin bod unrhyw ymdrech gyfoes, nac unrhyw ymgais erioed o ran hynny, wedi bod yn gwbl lwyddiannus. Ond efallai y byddai Iesu ei hun yn hapusach o fod yn rhan o *Carnival Messiah* a *Dancing on the Edge* na chael ei fygu gan ddadleuon diwinyddol y gorffennol. Fersiwn cyfoes o *Feseia* Handel yw *Carnival Messiah* a gyflwynwyd yn y Playhouse yn Leeds yn 1999. Mae'n gyfuniad rhyfedd o gerddoriaeth a dawns Trinidad ac India'r Gorllewin, drymiau Affricanaidd, regge a raggo! Mae'n gwneud i *Godspell* swnio fel cantata! Un o lyfrau Richard Holloway yw *Dancing on the Edge* (1997) mae ei fwriad yn llawer mwy ymarferol a chenhadol na llyfrau fel *Honest to God* a *Myth of God Incarnate* (llyfrau a greodd ddadlau diwinyddol-academaidd yn eu dydd) er i *Honest to God* gael sylw mawr gan y wasg. Mae llyfrau Richard Holloway yn fwy radical o lawer ac nid yw Holloway na Geraldine O'Conner, cyfarwyddwraig *Carnival Messiah*, ymysg ffefrynnau'r uniongred!

Ond nid oedd Iesu ei hun am gael ei gadw yn ddiogel y tu ôl i furiau na ffrâm na chwaith o fewn unrhyw athroniaeth nac athrawiaeth. Mater o berthynas fyw ac nid mater o athrawiaeth oedd ei berthynas â'i Dad, a dyna pam mae dychwelyd at yr Iddew a oedd yn byw yn Nasareth yn y flwyddyn 3760 yn golygu mentro i'r annisgwyl. Neu, fel y dywed N T Wright, awdur sydd wedi ysgrifennu'n helaeth am Iesu yn ddiweddar, yn ei gyfrol, *Who was Jesus?*, mae gan Iesu hanes llawer o bethau annisgwyl o hyd i grefydd gyfundrefnol. Yn wir mae Wright yn mynd ymhellach na hynny ac yn dweud (tud. 18) y gallai'r eglwys o'r dechrau fod wedi gwyrdroi y gwir Iesu a bod angen gwirioneddol edifarhau am hynny. Mae'n honiad ysgytwol gan un sydd wedi arbenigo ar y Testament Newydd. Nid cwestiwn i bobl ei ddydd ei hun, ond cwestiwn i bob oes yw, 'Pwy, meddwch chwi, ydwyf fi?' Yr eglwys sydd wedi ailrifo'r blynyddoedd a'u diffinio yn 'Cyn Crist' ac 'Oed Crist', ac efallai y byddai Iesu yn ymwrthod â'r dyddiad 2000 hyd yn oed gan fynnu galw eleni yn 5760 yn ôl y calendr Iddewig – ei galendr ef. Ar un llaw, clod i Iesu yw ei fod wedi ennyn cymaint o ymateb ac wedi bod yn sail i gynifer o athrawiaethau, o safbwyntiau ac o ddadleuon ar hyd y canrifoedd. Mae ei gymeriad wedi denu, wedi synnu ac wedi syfrdanu cenedlaethau, ond po fwyaf y mae dynion a merched wedi ei ddweud amdano, mwyaf yn y byd yw'r peryglon iddynt golli golwg ar Iesu ei hun. Rydym wedi awgrymu eisoes mai ofer yw ceisio darganfod Iesu yn union 'fel ag yr oedd'. Ond mae adfer Iddewiaeth Iesu yn wahanol ac yn siŵr o greu tyndra, os nad gwrthdaro, a all fod yn greadigol. Mae'n rhaid i'r eglwys fyw gyda thyndra o'r fath oherwydd nid yn dawel a digynnwrf y daeth Iesu i Nasareth. Roedd yr ymgnawdoliad yn ffrwydriad ac mae'n aros felly.

'Un Duw sydd'

Conglfaen cred yr Iddew oedd mai un Duw sydd. Roedd hynny'n golygu un Duw i'r holl fyd, ond roedd hefyd yn golygu nad oedd, ac nad oes Dduw arall tebyg iddo. Nid anghrediniaeth oedd y pechod mawr i'r Iddew, ond eilunaddoliaeth, sef peidio ag addoli yr un Duw. Dyna pam roedd Iesu yn dweud hynny mor aml: 'Pam yr wyt yn fy ngalw i yn dda? Nid oes neb da ond un, sef Duw.' (Marc 10, 18) ac eto 'Yr Arglwydd dy Dduw a addoli ac Ef yn unig a wasanaethi.' (Luc 4, 8) Ar hyd y blynyddoedd mae ysgolheigion Beiblaidd wedi bod yn trafod pa deitlau a roddwyd i'r Iesu, ac yn ddiweddarach, pa deitlau a ddefnyddiwyd gan Iesu ei hun. (Y farn gyffredinol yw mai 'Mab y Dyn' oedd amlaf ar wefusau Iesu.) Nid dyma'r lle i fynd i drafod hynny ond mae tystiolaeth Y Testament Newydd yn gwneud un peth yn gwbl glir sef bod pwyslais Iesu yn gyson ar ei *berthynas* â'i Dad, ar *deyrnas* ei Dad ac ar gyflawni *ewyllys* ei Dad. Y berthynas unigryw hon yw'r gyfrinach fawr. Nid yw Iesu yn unman yn cyfeirio ato'i hun fel 'Duw'. Hyd yn oed yn Efengyl Ioan, y ddiweddaraf a'r fwyaf diwinyddol o'r Efengylau, pan fo'n dweud 'Myfi a'r Tad, un ydym' (Ioan 10, 30) nid dweud y mae mai ef **yw** y Tad neu mai ef **yw** Duw, ond sôn y mae am y berthynas o adnabod ac ufudd-dod sydd rhyngddynt. Mae ef fel Iddew ac fel y Meseia yn gwahaniaethu'n gyson rhyngddo ef ei hun a'i Dad. Mae'n werth cofio hefyd ei fod yn Efengyl Ioan (10, 33) yn wfftio'r rhai sy'n ei gyhuddo o'i wneud ei hun yn Dduw. 'Mab Duw ydwyf', oedd ei ateb. Pan fo Llawlyfr *Cwrs Alffa* (cwrs eithriadol o lwyddiannus i Gristnogion newydd ac un a ddenodd Syr David Frost i'w gyflwyno ar y teledu) yn pwysleisio bod Iesu yn dweud mai ef oedd Duw, mae Iddewiaeth Iesu yn sgrechian. Yn yr Efengylau (gan gynnwys Efengyl Ioan) mae Iesu ei hun yn ofni ac yn gwadu honiadau o dduwdod a dyna pam mae'n fwy bodlon cyfeirio ato'i hun fel 'Mab y Dyn' a phan fo'r amser yn iawn i wneud hynny, 'Meseia'. Teitlau Iddewig yw'r teitlau hyn.

Perthyn i gyfnod arall ac i ffordd arall o feddwl y mae syniadau fel 'dwy natur mewn un person' ac, er bod geiriau o'r fath yn rhan annatod o'n geirfa grefyddol, y gwir yw mai dyma'r union eirfa sydd yn gwbl estron i feddwl Iesu ac sydd felly wedi sefyll rhyngom ni ac Iesu ei hun. Nid oedd Iesu yn meddwl o gwbl yn nhermau 'r ddwy natur. Cyflawni ac ufuddhau i ewyllys Duw oedd ei bwyslais. Duw ar waith oedd ei neges. Ymdrech dwy ganrif a thair canrif yn ddiweddarach yw damcaniaeth y ddwy natur, i geisio egluro ac i esbonio hyd yn oed y dirgelwch rhyfeddol sydd ym mherson Iesu. Ymdrech i wneud yr amhosibl, sef diffinio dirgelwch a rhyfeddod ydoedd. Ymdrech ydoedd hefyd, yn ei chyfnod, i geisio amddiffyn Iesu mewn credo a dogma – ac ymdrech a lwyddodd i anghofio'n llwyr wreiddiau Iddewig Iesu. Canlyniad anorfod hynny oedd rhwygo Iesu o'i wreiddiau ac ar hyd y canrifoedd mae'r efengyl wedi dioddef o effeithiau hynny. Mae'n werth nodi rhai enghreifftiau o hynny.

1. Collwyd golwg ar ddynoliaeth Iesu

Brwydr faith nad yw eto wedi dod i ben yw'r frwydr i amddiffyn dynoliaeth y Gŵr o Nasareth. Bu'n galetach brwydr na'r frwydr i amddiffyn ei ddwyfoldeb. Fe fyddai manylu ar y frwydr honno yn mynd â ni i faes cymhleth ac arbenigol y berw syniadau a fu rhwng y ganrif gyntaf a'r bedwaredd ganrif. I'r arbenigwyr mae geiriau fel Gnosticaidd, Docetaidd a Manicheaidd (a llawer 'aidd' arall!) yn awgrymu llu o ddadleuon athronyddol. Ond roedd arddel ei ddynoliaeth yn pwysleisio ei fywyd ar y ddaear a'i berthynas ag eraill, a oedd yn ganolog i'w berthynas â'i Dad. Perthynas gwbl unigryw oedd honno i'r graddau nad oedd yn bosibl meddwl am Iesu a Duw ar wahân i'w perthynas â'i gilydd. Ei ddynoliaeth sy'n egluro ei ddibyniaeth lwyr ar ei Dad, ei ufudd-dod perffaith iddo, ei gymundeb cyson ag ef mewn gweddi, a'i ymddiriedaeth. Dyna'i ddynoliaeth, a dyna'r union fan y mae cyfrinach ei 'ddwyfoldeb' hefyd.

Amddiffyn y ddynoliaeth honno sydd wedi cadw traed Iesu yn gadarn ar y ddaear. Nid yw'n syndod felly mai pobl y tu allan i furiau diogel yr eglwys yn aml sy'n ailddarganfod y ddynoliaeth honno. Mae hynny'n digwydd yn gyson yn ein dyddiau ni fel y gwnaeth, mewn rhyw ffordd neu'i gilydd, ym mhob cyfnod. Mewn gwirionedd mae'r frwydr o blaid ei ddynoliaeth yn dod ag Iesu yn ôl ar agenda ein byd. Nid yw'n bosibl cadw draw a chadw'n dawel ynglŷn â'r Gŵr o Nasareth. Condemniwyd y *Canongate Pocket Bible* (1998) am ofyn i bobl fel Nick Cave gyflwyno Efengyl Marc. Yn ôl Nick Cave, mae'r Crist y mae'r eglwys wedi ei gynnig i ni – y Crist di-asgwrn-cefn a di-liw, yn gwenu'n neis ar griw o blant neu yn hongian yn dawel ar y Groes – yn amddifadu Iesu o'i alar ysgytwol a chreadigol ac o'i dymer stormus sydd i'w weld mor amlwg yn Efengyl Marc. Gŵr sydd y tu allan i'r cylchoedd eglwysig yw Nick Cave erbyn hyn, ond sy'n nodweddiadol o'i gyfnod a'i genhedlaeth. Cerddor roc trwm gwrthryfelgar ydyw. Yn ystod Grawys 1999, '*Meek and mild. As if. Discover the real Jesus.*' oedd y geiriau ar boster o Iesu a oedd wedi ei seilio ar lun o Che Guevara. Gwendid mawr y poster oedd bod y gair '*Church*' yn dilyn *the real Jesus* oherwydd nid oes unrhyw sicrwydd (na llawer iawn o dystiolaeth) fod yr eglwys heddiw yn medru ymgodymu â grym ei ddynoliaeth. Roedd Iesu yn ddyn cwbl rydd ond cyfyngwyd ar y ddynoliaeth honno gan yr eglwys. Roedd y pedwar a gyflwynodd y pedair Efengyl yng nghyfres Canongate yn dweud yn ddigon clir mai'r eglwys sy'n gyfrifol am wneud Iesu yn ddogma – neu yn Dduw yn ei nefoedd. Yn ôl Blake Morrison a gyflwynodd Efengyl Ioan, mae Iesu'r eglwys yn fwy tebygol o droi gwin yn ddŵr na throi dŵr yn win.

O'r cyrion

Fe ellid yn hawdd bentyrru enghreifftiau i brofi na ellir dofi Iesu'r Iddew na'i dawelu. Fel y gwnâi yn ei ddyddiau ar y ddaear, mae Iesu yn parhau i ddenu pobl yr ymylon. Mae hynny, wrth gwrs, yn gwbl gyson â'r darlun a gawn ohono yn yr Efengylau: mae'n denu mwy o *outsiders* na crefyddwyr. Perygl y rhai sy'n honni ei ddilyn yw ei hawlio iddynt eu hunain drwy ei wneud yn fod arallfydol yn hytrach nag yn rhywun i'w ddilyn. Torri'n rhydd ac ymwrthod â hynny wna Iesu o Nasareth. Onid oes gennym dystiolaeth ei fod yn hapusach yng nghwmni pobl y cyrion? Os oedd hynny'n wir ddoe, pam nad yw'n wir heddiw? Nid oes unrhyw sicrwydd, wrth gwrs, y bydd pobl y cyrion yn dweud y pethau iawn amdano – o leiaf, nid yng ngolwg y crefyddwr ceidwadol. Ond dyna natur pobl yr ymylon. Enghreifftiau pellach o'r peryglon hyn yw ffilmiau fel *Jesus of Montreal* a *The last Temptation of Christ*; nofelau fel *Quarantine* (Jim Grace) a *Gospel of the Son of Man* (Norman Mailer, y *tough guy* Iddewig Americanaidd); cerflun rhyfeddol Mark Wallinger, *Ecce homo*, a arddangoswyd dros dro yn Sgwâr Traffalgar ym mis Gorffennaf 1999 ac y mae ei lun ar glawr y gyfrol hon; beirdd fel R S Thomas a Menna Elfyn; a'r ddrama lwyfan, gan Terence Macnally, *Corpus Christi*, a ysgrifennwyd mewn ymateb i lofruddiaeth erchyll Mathew Shepard yn Wyoming am ei fod yn hoyw: fe gafodd ei boenydio, ei groeshoelio, ei ladd. I Jack Glass, y ffwndamentalydd ymosodol, roedd y ddrama yn gabledd.

Diamddiffyn

Mae gwarchod anrhydedd y Gwaredwr yn naturiol ac yn angenrheidiol i'r Cristion. Mae unrhyw beth sy'n dibrisio ac yn diraddio'r hyn sy'n gysegredig i eraill yn annerbyniol;

ac os yw hynny'n wir am bethau cysegredig, faint mwy gwir ydyw am Iesu? Mae defnyddio ei enw fel rheg neu i elwa'n ddi-chwaeth yn siŵr o greu tristwch ac anhapusrwydd mawr. Bu Cristnogion yn protestio yn erbyn perfformio *Corpus Christi* ac yn erbyn dangos *The Last Tempation* mewn sinemâu neu ar y teledu, ac mae hynny'n ddealladwy iawn mewn gwlad sydd, mewn enw, yn Gristnogol o hyd. Ond ni ellir gwarchod dynoliaeth Iesu oherwydd mae'r ddynoliaeth honno yr un mor agored i gael ei cham-drin a'i chamddeall, ei gwatwar a'i gwrthod ag yr oedd ym Mhalesteina. Yn ei ddynoliaeth mae'n agored i'r byd, ac ni all neb, ac mewn un ystyr nid oes angen i neb, ei amddiffyn.

Nid ymdrechion i ymwrthod ag Iesu yw'r enghreifftiau sydd wedi eu nodi, nid prawf pellach o fyd seciwlar ôl-fodernaidd di-Dduw. Iesu ei hun sydd yn eu denu. Iesu sydd yn eu herio. Meddyliau creadigol sy'n sylweddoli bod gan yr Iesu hwn lawer iawn mwy i'w ddweud wrthym ydynt. Dynoliaeth Iesu sydd wedi eu denu ato fel y denwyd y disgyblion gynt.

2. Aethpwyd i sôn am addoli Iesu

I ddathlu'r milflwyddiant fe welwyd y geiriau hyn o flaen llawer o eglwysi: '*Mae 2000 yn dynodi pen blwydd Iesu Grist. Dewch i'w addoli Ef yma*'. Go brin y byddai Iesu'r Iddew yn croesawu'r geiriau na'r gwahoddiad. Maent yn gwrthddweud ac, yn wir, yn tanseilio neges Iesu ei hun. Dyma berygl colli golwg ar ddynoliaeth Iesu.

Trindod

Wrth geisio diffinio ac egluro dynoliaeth a dwyfoldeb Iesu, mae'n rhaid ceisio esbonio'r berthynas rhwng y Tad a'r Mab a'r Ysbryd. Roedd Iesu'r Iddew yn cyfeirio'n gyson at Ysbryd

Duw. Canlyniad hynny (ac rydym yn gorsymleiddio) oedd i'r eglwys Gristnogol ddatblygu athrawiaeth y Drindod: 'yr Un yn dri a'r Tri yn un'. Ni cheir y fath athrawiaeth yn y Beibl gan nad felly yr oedd awduron y Beibl yn meddwl. Mae sôn yn y Gair am Dduw: Creawdwr, Gwaredwr, Tad. Mae sôn am Dduw fel Ysbryd, oherwydd Ysbryd, wrth gwrs, yw'r Duw hwnnw. Mae'n anweledig, ond mae ar waith. Dyma'r Duw a anfonodd ei Fab i'r byd. Iaith yn mynegi perthynas y Duw hwnnw â'r Iddewon, â'r ddynoliaeth, ac â'r byd sydd yn y Beibl. Nid athrawiaeth na dogma ydyw. Iaith ffydd ac addoli yw'r Drindod, a mynegiant syml a naturiol o berthynas Iesu â'r Duw byw ac o berthynas y credadun â'r Duw hwnnw. Ond fe ddaeth yn ddogma ac (er mwyn cysondeb y ddogma) mae Cristnogion yn sôn am addoli Duw y Tad, Duw y Mab, a Duw yr Ysbryd Glân. Mae ymdrechion heddiw i fynegi'r Drindod mewn iaith sydd yn ystyrlon. Mae diwinyddion ffeministaidd, er enghraifft, yn barod i arbrofi ag iaith nad yw'n gyfyngedig i ddiffiniad traddodiadol o deulu ac o berthynas. Tuedd y crefyddwyr ceidwadol yw ymateb yn gwbl negyddol i unrhyw ymdrech wahanol i chwilio am yr iaith ystyrlon. Oherwydd y ddogma draddodiadol a chlasurol y mae'r eglwys wedi erlid, diarddel a hyd yn oed ddifa y rhai oedd yn amau cywirdeb y ddogma honno. Mae un enghraifft enwog o ormes o'r fath, sef llosgi'r Sbaenwr, Michael Servetus, fel heretig yng Ngenefa yn 1553 am nad oedd yn barod i dderbyn athrawiaeth y Drindod fel y cawsai ei diffinio yn y credoau clasurol. Roedd Servetus yn Gristion o argyhoeddiad dwfn ond ym merw'r syniadau a dyfodd wrth i'r eglwys gael ei rhwygo gan y Diwygiad Protestannaidd, fe groesodd Michael Servetus derfynau'r athrawiaeth. (Mae'n werth ychwanegu mai yr un fyddai'r ddedfryd dan law yr Eglwys Gatholig yn ogystal â'r Eglwys Brotestannaidd yn y cyfnod hwnnw!)

Mae llawer iawn o enghreifftiau tebyg. Nid mor ddramatig, ond yr un mor drist o safbwynt yr eglwys, fu'r hyn a ddigwyddodd i Peter Williams a Tom Nefyn yng Nghymru. Y naill wedi rhoi cyfraniad aruthrol i fywyd crefyddol ei genedl fel diwygiwr, esboniwr a chyhoeddwr, ond yn cael ei ddiarddel gan ei enwad yn 1791 ar gyhuddiad o wyro gwirioneddau'r ffydd, a hynny mewn un rhan fechan o un esboniad. Roedd achos Tom Nefyn yn wahanol ond fe gafodd yntau ei alw i gyfrif am iddo, ymysg pethau eraill, roi gormod o bwyslais ar ddynoliaeth Iesu, er iddo arddel ei Arglwyddiaeth gydag argyhoeddiad mawr. Mae'r eglwys – er ei bod yn gyson yn mynnu nad yw 'o'r byd' – hefyd yn aml yn gynnyrch ei hoes. Bwriad yr eglwys yn yr achosion hyn i gyd oedd amddiffyn y ffydd, ond yn ei chyfnod nid oedd yn llwyddo i wahaniaethu rhwng athrawiaethau'r ffydd honno ac Iesu ei hun. Dyna ddagrau hanes yr eglwys.

A fo ben...

Un Duw sydd ac un Duw yn unig a addolir. Yn ystod degawdau diweddar o dwf eglwysig byd-eang, bu tueddiadau cyson i wneud Iesu yn wrthrych yr addoli ac nid yn gyfrwng yr addoli. Un sydd yn sefyll *rhwng* dau er mwyn pontio yw cyfryngwr. Iesu yw ein cyfryngwr ni â Duw. Mae'r Llythyr at yr Hebreaid yn pwysleisio bod Iesu yn broffwyd, yn frenin, ac yn offeiriad mewn ffordd gwbl wahanol i neb a fu o'i flaen. Mae'r awdur yn gweld Iesu fel 'offeiriad tragwyddol' – *pontifex*, sef pont rhyngom a Duw. Ond mae'n offeiriad am ei fod yn 'berffaith ddyn'. Ni all Duw fod yn offeiriad. Ni fuasai awdur yr Hebreaid (a oedd efallai yn gyn-offeiriad ei hun) wedi meddwl am eiliad y gallasai Iesu fod wedi meddwl amdano'i hun fel Duw oherwydd, 'Iesu, awdur a pherffeithydd ffydd' ydyw

(Hebreaid 12, 2). Dyma'r neges a gyhoeddir yn y Testament Newydd. Flynyddoedd lawer yn ôl y Cymro, C H Dodd, oedd un o ysgolheigion mwyaf y Testament Newydd, a'i gyfraniad mawr oedd egluro neges ganolog yr efengyl fel y mae yn Llyfr yr Actau. Yn syml, dyma'r neges: mae proffwydoliaeth wedi ei gwireddu; ganwyd Iesu o hâd Dafydd; bu farw, yn ôl yr Ysgrythurau; claddwyd ef; atgyfododd ar y trydydd dydd yn ôl yr Ysgrythyrau; dyrchafwyd ef ar ddeheulaw Duw, yn Arglwydd y byw a'r marw. Dyma'r neges a gyhoeddwyd gan Eglwys y Pasg a'r Pentecost. Nid oes sôn am athrawiaeth y Drindod. Roedd yr eglwys fore yn addoli Duw yn enw a thrwy yr Arglwydd Iesu Grist. Mae'r Llythyr at yr Hebreaid yn defnyddio geiriau cryf a mentrus i ddisgrifio Iesu ac i ddweud sut un oedd rhaid iddo fod er mwyn cyflawni ei waith:

'Mae'n gallu cydymddwyn â'r rhai anwybodus a chyfeiliornus, gan ei fod yntau hefyd wedi ei amgylchu â gwendid; ac oherwydd y gwendid hwn, rhaid iddo offrymu dros bechodau ar ei ran ei hun, fel ar ran ei bobl.'

(Hebreaid 5, 2)

Dyna beth yw arddel dynoliaeth Iesu! Cred Dr Gary Badcock, diwinydd yng Nghaeredin a Chanada, fod y pwyslais ar Iesu erbyn hyn wedi mynd yn rhy bell. Rhybuddia mor hawdd y gall efengyl sydd yn Grist-ganolog ddatblygu i fod yn 'Grist-dduwiaeth' ac mae yna fwy nag un enghraifft o'r hyn a elwir yn 'Gwlt Iesu'. Mae Iesu yn ddatguddiad o Dduw, mae'n wyneb-dynol i Dduw, yn ddelw o Dduw, yn un fel Duw, ac fe allem hyd yn oed ddweud fod Duw yn debyg i Iesu, ond ni allwn ddweud mai Ef yw Duw.

Stori Syml

Cri a glywir yn aml gan y crefyddwr ceidwadol heddiw yw am i'r efengyl gael ei gwneud yn fwy syml a dealladwy. Dyna mewn gwirionedd yw dychwelyd at Iesu'r Iddew–

ailddarganfod y symlrwydd sylfaenol. Dweud y stori yw cyhoeddi'r efengyl, ond rhaid cofio nad yw stori yn dweud popeth. Mae'r eglwys wedi teimlo rheidrwydd i ddehongli'r stori, a pherygl gwneud hynny yw colli'r stori. Mae'n rhaid dehongli, wrth gwrs, ond os yw'r dehongliad yn gwbl athrawiaethol, fe all y stori ddod yn eilradd. Mae Eglwys Bresbyteraidd Cymru yn y gorffennol wedi cael ei rhwygo a'i beirniadu yn hallt gan y rhai sy'n dewis eu diffinio eu hunain â'r gair 'efengylwyr' (ond mae eraill wedi eu cywiro ac wedi awgrymu'r gair 'efengyleiddwyr'). Y feirniadaeth i'r Eglwys Bresbyteraidd droi cefn ar ei Chyffes Ffydd ei hun a barodd i lawer o weinidogion adael yr enwad yn y saith degau a'r wyth degau. Sefydlwyd eglwysi oedd yn fwy cywir eu cred na'r Presbyteriaid, yn fwy uniongred eu diwinyddiaeth ac yn fwy ffyddlon i'r credoau clasurol. Yn ei gyfrol, *The Span of the Cross I*, (tud. 249) mae Densil Morgan yn feirniadol iawn o ddylanwad Martin Lloyd-Jones a'i bwyslais yn y cyfnod hwnnw ar ymwahanu . Roedd y gred yn nuwdod Iesu, ei berffaith Iawn ac awdurdod Gair Duw yn allweddol yn yr ymrannu. Lluniwyd *Cyffes Ffydd* Eglwys Bresbyteraidd Cymru yn 1823. Mae'r Gyffes, yn nhraddodiad *Cyffes Westminster* a'r traddodiad Uniongred Protestannaidd, yn un faith a manwl ac yn enghraifft ardderchog o efengyl yn troi yn athrawiaeth gymhleth. Cyfnod felly oedd y flwyddyn 1823 a bu rhaid i genedlaethau o bobl ifanc ddysgu rhannau helaeth o'r Gyffes honno yn *Hyfforddwr Thomas Charles* cyn cael eu derbyn yn aelodau cyflawn o'r eglwys. Gofynion bugeiliol, ymarferol a litwrgaidd a fu'n ysgogiad i lunio *Datganiad Byr* o'r ffydd yn 1932. Mae'r gyffes fer honno yn nes at stori syml y Testament Newydd nag yw Cyffes feichus ac anodd 1823. Dyma'r gyffes fer:

'Credwn yn Nuw Dad Hollalluog, Creawdwr a Llywod-raethwr pob peth. Credwn yn Iesu Grist, ei Uniganedig Fab, ein Harglwydd a'n Gwaredwr. Trwy ei fywyd, ei farwolaeth ar Groes a'i Atgyfodiad, gorchfygodd bechod ac angau gan faddau i ni ein pechodau a'n cymodi â Duw. Credwn yn yr Ysbryd Glân. Trwyddo Ef mae Crist yn preswylio yn y credinwyr, gan eu sancteiddio yn y gwirionedd. Credwn yn yr Eglwys, corff Crist a chymdeithas y saint; yn yr Ysgrythur-au Sanctaidd; yng Ngweinidogaeth y Gair a'r Sacramentau. Credwn yn nyfodiad Teyrnas Dduw ac yng ngobaith gwynfydedig y bywyd tragwyddol trwy ein Harglwydd Iesu Grist. Credwn mai diben pennaf dyn ydyw gogoneddu Duw a'i fwynhau byth ac yn dragywydd.'

Mae'r gyffes hon yn debycach o ran naws ac iaith i neges gyntaf yr eglwys yn Llyfr yr Actau ac mae'n rhydd o faich athrawiaethau Cyffes 1823 ac, oherwydd hynny, mae'n ddigon – yn fwy na digon!

Ar un adeg, Paul yr Apostol a gafodd y bai am gymhlethu efengyl seml Iesu, ond nid yw hynny'n deg â Phaul ac mae'n dangos diffyg dealltwriaeth o gefndir y Testament Newydd. Iddew oedd Paul yn ceisio cyflwyno'r efengyl i fyd a diwylliant arall ac yn ei lythyrau – a llythyrau ydynt, nid traethodau – mae'n ymdrechu i gael yr iaith gymwys i wneud Efengyl Iesu'r Iddew yn ystyrlon i bobl a oedd yn byw yn rhai o ddinasoedd mwyaf cosmopolitan ei ddydd. Cenhadwr ydoedd ac nid diwinydd. Cyfnod diweddarach na chyfnod Paul wnaeth y camgymeriad sylfaenol o fethu â gwahaniaethu rhwng yr efengyl a'r mynegiant ohoni. Y gwir yw bod llythyrau Paul wedi cael eu darllen drwy sbectol a diwylliant y cyfnod hwnnw yn hytrach na thrwy lygaid yr Efengylau.

3. Aeth ei farwolaeth yn ddamcaniaeth

'Oherwydd dewisais beidio â gwybod dim yn eich plith ond Iesu Grist a hwnnw wedi ei groeshoelio', meddai Paul (1

Corinthiaid 2, 2) gan roi mynegiant i le canolog y groes. Nid digon oedd dweud yr hanes am y groes chwaith ac yn anorfod fe aethpwyd ati i esbonio a dehongli yr hyn a ddigwyddodd. Fel gyda pherson Crist (ac yn wir oherwydd y dadleuon am berson Crist), datblygodd damcaniaethu a dadleuon athronyddol ac athrawiaethol. Ond nid oes damcaniaethau felly yn y Testament Newydd. Nid oes arlliw ohonynt o gwbl yn yr Efengylau ac nid ydynt i'w gweld yn llythyrau Paul, o gofio bod rhai o'r llythyrau hynny yn ddadleugar eu naws. Dweud y stori a wna'r Efengylau ac mae'r rhan helaethaf o'r Efengylau wedi eu rhoi i fanylu ar yr hanes am y croeshoeliad. Mae'r hanes hwnnw yn cael ei adrodd yn rhyfeddol o uniongyrchol a chynnil heb arlliw o bregethu. Wrth gwrs, mae sawl ymdrech yn llythyrau'r Testament Newydd i geisio mynegi dylanwad ac effaith y croeshoeliad. Defnyddir iaith y gyfraith: 'talu'r pris i ryddhau caethwas'; mae iaith defodaeth grefyddol yn cael lle: 'yr aberth sy'n ein cymodi â Duw'; mae iaith fasnach yn gyffredin: 'talu'r ddyled'; ac mae iaith rhyfela a brwydro yn gyffredin: 'buddugoliaeth Duw'. Ond delweddau yw'r rhain ac ymdrech i ddaearu'r neges am y groes. O gofio mai **delweddau** ydynt yna, pan fo delwedd fe allent golli eu grym mewn cyfnod gwahanol ac mewn diwylliant gwahanol. Pwysicach o lawer na'r holl ddelweddau yw'r un ffaith honno – croeshoeliwyd Iesu. A dyna pam fod delwedd y groes ei hun yn aros, tra bod y delweddau am y groes yn gallu newid – yn wir, mae'n rhaid iddynt newid. Mae'r groes ynddi ei hun yn ddigon.

Dioddefaint

Mae'r Iddew a'r Cristion yn ymwybodol – ym mhrofiad y canrifoedd o Galfaria i Auschwitz – nad oes angen gwybod dim mwy na bod y groes yn fynegiant o'r ddedfryd a gafodd Iesu ac o eithaf ing ei ddynoliaeth. Nid Duw fu farw ar y groes, ond yr un a ddywedodd, 'Fy Nuw, fy Nuw, paham y'm gadewaist?' ac 'I'th ddwylo Di y gorchmynnaf fy ysbryd'. Nid oes deall nac esbonio ar hynny, ond fel y milwr wrth y groes a'r nofelydd Iddewig, Eli Wiesel, a gollodd ei deulu yn Auschwitz, fe ddown i wybod bod Duw ei hun yn y dioddefaint hwnnw. Ar ôl Auschwitz, yn ôl Wiesel, fedrwch chi ddim siarad am Dduw, dim ond â Duw. Mae saint, merthyron a chyfrinwyr mwyaf y ffydd Gristnogol wedi dweud yr un peth wrth blygu wrth y groes. Mae'r groes yn taflu goleuni ar yr hyn a ddigwyddodd cyn hynny, ar fywyd Iesu, ac mae'n taflu goleuni ar yr hyn a ddigwyddodd ar ôl hynny, sef bod ei atgyfodiad yn barhad o'i fywyd yn ein plith. Yng ngoleuni'r atgyfodiad y dechreuodd y Cristnogion cyntaf gyhoeddi bod Iesu yn Arglwydd, a thystiolaeth i'r atgyfodiad yw credu a chyhoeddi hynny. Dyma yn wir oedd Cyffes Ffydd gynharaf yr eglwys fore, a'r unig gyffes oedd ei hangen wrth symud o Jeriwsalem Iddewig i Rufain ryngwladol. Dyma'r gyffes a olygai fod y Cristnogion yn cael eu galw yn 'aflonyddwyr yr Ymerodraeth' (Actau 17, 6) oherwydd nid Cesar oedd yn Arglwydd bellach ond Iesu'r Iddew. Mae'r gyffes hon yn cael ei hadlewyrchu yng ngeiriau Tomos yn Efengyl Ioan, 'Fy Arglwydd a'm Duw'. (Ioan 20, 28). Iaith ydyw yn mynegi rhyfeddod ac ymgysegriad llwyr – ac iaith perthynas, nid diwinyddiaeth. Cyn hynny roedd y byd wedi dweud mai Cesar oedd yn Arglwydd ac yn Dduw. Wedi'r groes a'r atgyfodiad, nid Cesar ond Iesu ydyw.

Iesu'n Arglwydd

Mae Hans Kung (un o ddiwinyddion mwyaf ein dyddiau ni) yn credu mai'r geiriau, 'Iesu'n Arglwydd', yw sylfaen cred y Cristion. Hon, yn ôl Kung yn ei *Christianity* (1994), yw'r wir gred, ac mae'n profi hynny drwy ddyfynnu'n helaeth o'r Testament Newydd er enghraifft, 1 Corinthiaid 12, 3; a Rhufeiniaid 10, 9. Mae'n gweld geiriau Paul yn 1 Corinthiaid 8, 6 yn bwysig: '... eto, i ni, un Duw sydd – y Tad, ffynhonnell pob peth a diben ein bod; ac un Arglwydd Iesu Grist – cyfrwng pob peth a chyfrwng ein bywyd ni.' Mae'n ddatganiad clir, syml a chwbl naturiol i'r Cristion ac mae'n gwneud cyfiawnder ag Iddewiaeth Iesu.

Nid oedd angen ac nid oes angen mwy na hynny. Mae llu o gwestiynau wedi cael eu codi, ond cwestiynau diang-henraid nad oes angen eu gofyn ydynt: ai Duw fu farw ar y groes? A beth am 'y gwaed yn bodloni'r Tad'? I 'bwy mae'r ddyled yn cael ei thalu'? Maent yn gwestiynau sydd yn siŵr o gael eu gofyn mewn trafodaeth, darlith ac astudiaethau. Ond nid ydynt yn hanfodol i gred ac nid oes eu hangen i blygu a rhyfeddu.

Llawer mwy syml a llawer nes at dystiolaeth yr Efengylau yw i Iesu fod yn barod i dalu'r gost eithaf er mwyn bod yn ufudd i'w alwad. Onid yw'n ddigon dweud na fyddai dim llai na'r hyn a wnaeth Iesu yn ddigon i ddangos sut un ydyw Duw? Mae'n rhaid arddel dyn-oliaeth Iesu i dreiddio i ddirgelwch a dyfnder ei fywyd, ei farwolaeth a'i atgyfodiad.

4. Canlyniad arall diwreiddio Iesu oedd iddo beidio â bod yn Iddew a dod yn 'Gristion'

Nid Cristion oedd Iesu, ond Iddew. Fe fydd llawer yn teimlo'n anghyfforddus wrth ddarllen gosodiad o'r fath. Ond mae angen ei ddweud. Nid oes cyfeiriad at Iesu fel Iddew yng nghredoau clasurol yr eglwys, sef credoau Nicea 325, a Chalchedon 451, ac mae hyn wedi bod yn graith ar hanes Cristnogaeth. Credoau ydynt a luniwyd dri chan mlynedd wedi i Iesu grwydro Galilea. Mae'n gam ag Iesu ei hun. Yr unig gyfeiriadau yn y credoau sy'n ei wreiddio yw 'ganwyd o Fair' a 'croeshoeliwyd yn nyddiau Pontiws Peilat'. Un o'r datblygiadau pwysig wedi'r Ail Ryfel Byd yw bod yr eglwys Gristnogol a'r Iddewon, yn arbennig drwy'r Cyngor Iddewon a Christnogion, wedi ailedrych ar eu perthynas â Duw . Mae cydnabod mai Iddew oedd Iesu yn gyfrifoldeb ar Gristion ac Iddew fel ei gilydd. Nid yw'r datganiadau a wnaethpwyd yn ystod yr hanner can mlynedd diwethaf yn ddigon ynddynt eu hunain o bell ffordd, ond maent yn gam ymlaen at adfer perthynas a gollwyd ac at wneud iawn am gam a wnaethpwyd. Dyna *Ddatganiad 1982* gan Gyngor Eglwysi'r Byd, er enghraifft: 'Profodd y dirmyg tuag at Iddewon ac Iddewiaeth o fewn rhai traddodiadau Cristnogol, yn fagwrfa i ddrygioni'r Holocost.' Ac eto yn *Natganiad 1988*: 'Mae'r Cyfamod rhwng Duw a'r Iddewon yn parhau – oherwydd un Duw sydd.' Nid oes amheuaeth nad oedd ymweliad y Pab ag Israel ym mis Mawrth 2000 yn gam mawr ymlaen at roi Iesu'r Iddew yn ôl yn ffydd yr eglwys Gristnogol, a phwysicach na hynny hyd yn oed oedd y Datganiad o Edifeirwch a wnaethpwyd yn y Fatican ychydig ddyddiau ynghynt am fudandod yr eglwys Gatholig yn arbennig, ond yr Eglwys Lân Gatholig hefyd, pan oedd chwe miliwn o Iddewon yn cael eu difa. Fe fuasai gweithred seml o gofio mai Iddew oedd Iesu wedi medru newid hanes Ewrop petai'r eglwys yn yr Almaen ac yn Ewrop ac yn America wedi bod yn barod i sefyll dros eu Gwaredwr. Nid chwiw ym mhen Hitler oedd ei wrth-Iddewiaeth.

Gwrth-Iddewiaeth

Mae gwrth-Iddewiaeth wedi bod yn cyniwair o fewn yr eglwys Gristnogol ar hyd y canrifoedd. Yn y flwyddyn 386, fe draddododd pregethwr enwocaf ei ddydd, John Chrysostom o Antioch, chwe phregeth enwog ar y thema, 'Yn erbyn yr Iddewon'. Ei gyfarwyddyd ef oedd troi eich cefn arnynt fel petaech yn troi cefn ar bla sy'n difa'r byd, yn hytrach na'u cyfarch. Mae agwedd Martin Luther a'i eiriau ddiwedd ei oes hefyd wedi aros yn dystiolaeth i rywbeth sydd wedi dwyn gwarth ar yr eglwys Gristnogol. Ei gyngor ef yn 1543 oedd y gellid â chydwybod glir ymgroesi a dweud heb flewyn ar dafod, 'Dacw ddiafol mewn cnawd' pa bryd bynnach y gwelid gwir Iddew. Mor ddiweddar â 1980 fe ddywedodd Baily Smith, Llywydd y *Southern Baptist Convention* ar y pryd (ac enwad Protestannaidd mwyaf America), 'Nid yw'r Duw Tragwyddol yn gwrando gweddïau Iddew'. Mae Gareth Lloyd Jones wedi manylu ar wrth-Iddewiaeth yn ei gyfrol bwysig, *Lleisiau o'r Lludw* (1994).

Yr hyn, efallai, sydd anoddaf i Gristnogion ei gydnabod a'i dderbyn yw bod hadau gwrth-Iddewiaeth yn y Testament Newydd ei hun. Mae Efengyl Ioan, er enghraifft, yn anwybyddu'r rhaniadau amlwg oedd oddi mewn i Iddewiaeth yn nyddiau Iesu Grist. Nid yw'n rhoi sylw i'r gwahaniaethau rhwng y Phariseaid, y Sadiwceaid a'r Herodiaid, ond yn hytrach cyfeiria atynt yn gyffredinol fel 'yr Iddewon' gan eu cyhuddo o fod yn 'Epil Satan' neu'n 'blant i'ch tad, y diafol' (Ioan 8, 44). Daethom i wybod ac i ddeall yn well erbyn hyn peth mor beryglus yw cyffredinoli o'r fath.

Mae'r darlun wrth gwrs yn un cymhleth ac mae'n hawdd gorsymleiddio. Mae angen bod yr un mor onest wrth drafod agweddau'r Iddewon at Gristnogion hefyd. Ond mae'n rhaid i hynny ddod o du'r Iddewon eu hunain ac mae hynny yn digwydd yn y to o Iddewon sy'n barod iawn i sôn am fethiant yr Iddewon wrth ymwneud â'u proffwydi. Lleisiau felly oedd lleisiau Iddewon dewr fel Vermes, Flusser a Montifiore yn y gorffennol, ac yw lleisiau llawer iawn mwy o Iddewon heddiw.

Ysgolheigion yw'r rhain, wrth gwrs, ac mae sylweddoli nad yw 60% o boblogaeth Israel heddiw erioed wedi cyfarfod â Christion ac mai dim ond 25% o'r boblogaeth a ŵyr beth yw arwyddocâd 25 Rhagfyr yn profi nad yw'r adfer ond megis dechrau. Fe fu arweinwyr crefyddol yr Iddewon yn hybu rhagfarnau a chasineb tuag at yr Iddewon a oedd wedi troi cefn ar ffydd eu tadau: cofia'r cyn Esgob Hugh Montifiore – yr Iddew a ddaeth yn esgob Birmingham – am rywun yn ei deulu yn poeri bob tro y clywai'r gair 'Cristion'. Arweiniodd y casineb hwnnw at erlid Cristnogion. Ond bellach mae nifer gynyddol o Iddewon a Christnogion yn sylweddoli bod rhaid creu deialog a dealltwriaeth rhwng y ddwy grefydd. Yn ôl yr Iddew, Jonathan Sachs, yn ei *Christian-Jewish Dialogue* (1996), mae'r llwybr i gymod yn aros amdanom ac mae'n rhaid i ni chwilio amdano gyda'n gilydd.

Digon ar hyn o bryd yw pwysleisio y byddai agwedd Cristnogion tuag at Iddewiaeth wedi bod yn fwy goddefgar ac yn fwy goleuedig petaent wedi dal gafael ar ddynoliaeth Iesu'r Iddew yn hytrach na'i cholli yn athrawiaethau'r ffydd. Yn fwy felly, fe fyddai agwedd yr Iddewon tuag at Gristnogion wedi bod yn fwy goddefgar petai'r Cristnogion wedi ymarfer ychydig mwy o wyleidd-dra yn hytrach na mynnu meddiannu Iesu ac anwybyddu ei Iddewiaeth yn eu credoau. Yn ei lyfr, *My affair with Christianity*, mae'r Iddew pryfoclyd, Lionel Blue, yn dweud bod angen gofal mawr gyda dogmâu – maent yn gadael cynifer o bethau heb eu dweud.

5. Datblygu rhwyg rhwng Duw'r Gwaredwr a Duw'r Creawdwr

Canlyniad arall anghofio Iddewiaeth Iesu oedd i rwyg ddatblygu rhwng Duw'r Gwaredwr a Duw'r Creawdwr. Aeth y pwyslais bron yn llwyr ar y Duw sy'n achub eneidiau drwy Iesu Grist. Efallai yn wir mai dyma'r rhwyg fwyaf un. Dros y canrifoedd, fe arweiniodd hynny at sawl rhwyg arall a fu'n gwbl niweidiol i Gristnogaeth sy'n honni bod ei hawdurdod yng Ngair Duw: corff ac enaid, cnawd ac ysbryd, ysbrydol a materol, meidrol a thragwyddol. Datblygodd y ffydd Gristnogol â'i hathroniaeth a'i hathrawiaeth yn grefydd sydd â'i phwyslais i gyd ar achub enaid. Yn ogystal â hynny datblygodd yn grefydd sydd â'i phwyslais mwyaf ar yr unigolyn. Alltudiwyd Duw'r Creawdwr o'i fyd ac o'i Air oherwydd, i bob golwg, rhagarweiniad yn unig i grefydd well oedd y cyfan. Mae'n wir bod y credoau yn cyfeirio at 'Greawdwr nefoedd a daear' ond nid oedd y Creawdwr hwnnw bellach yn hanfod y grefydd Gristnogol, ac nid oedd yr Hen Destament a holl gyfoeth crefydd Iesu yn ddim ond hen gyfamod a oedd yn diflannu gyda dyfodiad y cyfamod newydd. Mae wedi cymryd canrifoedd – ac efallai ei bod yn rhy hwyr – i ddychwelyd at Dduw yr Iddew a Duw Iesu.

Yr un yw'r Creawdwr â'r Gwaredwr. Mae'r Gair yn dweud hynny ac mae Iesu yn dweud hynny. Mae'n Dduw Creawdwr y cread cyfan ac mae'n Dduw hanes yr Iddewon. Mae'n Dduw y genedl ac yn Dduw yr unigolyn. Mae rhannau o Ysgrythur yr Iddew mor bersonol ag unrhyw ran o'r Testament Newydd ond mae'r Testament Newydd yn dibynnu llawer ar yr Hen Destament i gofio'r gwirionedd canolog, sef y Duw sy'n cynnal y cread a'r cenhedloedd yn ei law. Bu'n rhaid i ni fod yn dystion i beryglon a bygythiadau erchyll i'r cread ei hun – y trais, y gwrthdaro, y llygru, y chwalfa – cyn cael ein hatgoffa ein bod wedi rhwygo Duw ei hun drwy anghofio Iddewiaeth Iesu.

Tôn Gron

Cyfeiriwyd eisoes at lwyddiant mawr *Cyrsiau Alffa*. Cwrs ydyw a ddatblygwyd yn eglwys Anglicanaidd Holy Trinity, Brompton, Llundain i gyflwyno'r ffydd i Gristnogion newydd; hynny yw, i'r rhai sydd wedi dod i gredu ond sydd heb gefndir eglwysig o gwbl. Mae *Alffa* felly yn ABC y grefydd Gristnogol. (Mae'r cwrs hefyd wedi ei gyfieithu i'r Gymraeg ac yn cael ei ddefnyddio yn helaeth ledled Cymru.) Ond mae un peth arwyddocaol iawn am y cwrs: nid oes yn *Alffa* bennod arbennig na hyd yn oed adran arbennig yn sôn am Dduw'r Creawdwr! Nid yw hynny, mae'n amlwg, yn hanfod y ffydd yn Holy Trinity, Brompton. Unwaith eto rhwygwyd y Creawdwr a'r Gwaredwr.

Yn y Gair un Duw sydd. Rydym ninnau yn warchodwyr ac yn stiwardiaid ei gread bregus a chysegredig. Mae Iesu'r Iddew – fel yr ydym ninnau ac fel y gwnaeth yntau gyda'i bobl wrth gael ei fedyddio – yn sefyll o flaen ei Greawdwr, oherwydd iddo yntau hefyd gael ei greu yn blentyn ei oes a'i gyfnod ac yn rhan o greadigaeth ryfeddol y Creawdwr. (Mae'r credoau wedi ceisio argyhoeddi pobl nad ei greu a gafodd Iesu. Mae hynny cystal â dweud na chafodd ei eni! Mae cwrs *Alffa Ieuenctid* yn mynd mor bell â chyfeirio at Iesu fel 'yr unig un erioed a ddewisodd gael ei eni'– geiriau sydd, wrth gwrs, yn gwneud nonsens llwyr o ddynoliaeth Iesu.) Mewn gwirionedd nid oes ystyr i ddathlu 2000 o flynyddoedd oed Crist heb gofio yr un pryd ein bod yn dathlu dyfodiad un a oedd yn credu mai Duw yw Rhoddwr a chynhaliwr bywyd. Mae'r gred mewn Creawdwr a rhoddwr yn newyddion da hefyd. Efallai mai rhodd fwyaf Duw i'r cyfnod hwn yw ein dwyn ni yn ôl i fynwes y Creawdwr, ac mae yna wyddonwyr fel Paul Davies a fyddai'n barod iawn i drafod hynny. Aeth rhai gwyddonwyr yn llawer iawn fwy parod na rhai Cristnogion i gydnabod Duw yn Greawdwr. Un felly yw Paul Davies, ffisegydd mathemategol o Brifysgol Adelaide, a gafodd Wobr Templeton am hybu'r berthynas rhwng gwyddoniaeth a chrefydd. Er nad yw'n ystyried ei hun yn Gristion yn ôl disgwyliadau'r eglwys, y mae ei lyfrau, fel *The Mind of God* a *God and the New Physics* yn sôn am y cynllun yn y cread sydd yn ein cyfeirio tuag at feddwl Creawdwr. Gwyddonydd tebyg yw Chet Ramyo, ffisegydd o

Brifysgol Stonehill yn America. 'Yr ydym yn sefyll ar draeth gwybodaeth,' meddai, 'gan edrych ar fôr dirgelwch a sibrwd Ei enw. Mae'r enw hwnnw yn llithro o afael pob credo a damcaniaeth wyddonol.' (*Skeptics and True Believeres*, tud. 214). Mae hyd yn oed Richard Dawkins, y gwyddonydd sydd yn arch-elyn crefydd, wedi cynnwys 'yr angen am ryfeddod' yn is-deitl yn ei gyfrol *Unweaving the Rainbow*.

Mae hanes am un o arweinwyr y Mudiad Carismataidd a gafodd wahoddiad i bregethu diolchgarwch mewn capel yng nghefn gwlad Cymru. Gwelodd gyfle i argyhoeddi'r gynulleidfa fechan ar brynhawn yn yr wythnos o'i hangen am adnewyddiad ysbryd ac i'w hargyhoeddi o bechod ac o gyflwr truenus yr eglwys. Mewn oedfa ddiolchgarwch nid oedd gan y pregethwr Cristnogol hwnnw ddim i'w ddwued am Dduw'r Creawdwr, dim i'w ddwued am iddo ein creu ar 'ei lun a'i ddelw ei hun', dim i'w ddwued am unrhyw beth ond achub eu heneidiau. Roedd yn ddrych o'r hyn sydd wedi digwydd ar hyd y canrifoedd oherwydd disodlwyd y fendith wreiddiol gan y pechod gwreiddiol gan lenwi dynion a merched â mwy o euogrwydd nag o ddiolchgarwch. Y sylw pwysicaf a wnaethpwyd ar yr oedfa honno oedd i'r organyddes (bendith arni!) ddwued, 'Mae'n dda mai ni wnaeth ddewis yr emynau. O leiaf fe gawson ni ganu ein diolch. '

Mae angen adfer mwyo arferion Iesu ei hun. Roedd ei fywyd ef yn cael ei gynnal a'i ddathlu yn gyson drwy gofio am Dduw y Creawdwr. Gŵyl y Rosh Hashanah oedd un o'r gwyliau hynny, sef Gŵyl y Flwyddyn Newydd a gynhelid, nid ym mis Ionawr, ond ym mis Medi. Yn yr ŵyl honno byddai'r Iddew yn dathlu daioni Duw'r Creawdwr yn holl fanylion ei greadigaeth, fel y mae'n cael ei ddathlu ar ddechrau Llyfr Genesis. Roedd yn amser da o'r flwyddyn i wneud hynny: yr haf yn darfod, y cynhaeaf yn cael ei gasglu a chyfle i werthfawrogi a diolch am ddaioni Duw. Roedd hefyd yn ŵyl a oedd yn galw'r Iddewon â chân yr utgorn i ailddechrau blwyddyn newydd drwy addunedu i fod yn well gofalwyr cread Duw. Mae'r ŵyl felly yn digwydd yng nghyfnod ein cyrddau diolchgarwch ni ac mae angen adfer y berthynas rhwng y ddwy ŵyl. Wrth ddweud bod y flwyddyn Gristnogol yn dechrau gyda'r Adfent, rydym mewn gwirionedd yn creu rhwyg na ddylid ei chreu. Nid gyda'r Adfent mae'r ffydd Gristnogol yn dechrau, ond gyda Duw y Creawdwr, ac mae angen inni gofio hynny. Yn ystod y blynyddoedd diwethaf, gyda thwf mudiadau ecolegol ac ymwybyddiaeth newydd o warchod pob agwedd ar fywyd y cread, mae'r eglwys wedi tueddu i edrych ar y mudiadau hyn fel mudiadau seciwlar. Dyna'r rhwyg eto – yr ysbrydol a'r seciwlar. Ond mewn gwirionedd, tyfu yn sgil methiant yr eglwys a wnaethant. Petaem yn rhoi mwy o bwyslais ar Ŵyl ein Diolch ac yn ei gweld fel dathliad o Dduw y Creawdwr, fe fyddem yn nes at Iesu'r Iddew a'r hyn oedd yn sylfaen ei fywyd – cred yn un Duw. Yr un Duw, a'r unig Dduw, a greodd y cread, a arweiniodd ei bobl, a gododd broffwydi, a anfonodd Iesu ac a'i gwnaeth drwy ei farwolaeth a'i atgyfodiad yn Waredwr. Iesu Grist, ddoe a heddiw yr un, ac am byth.

Datganiad, ymgyrch a rhyddid

*Nid yno i'w croesawu gyda'r Pab yr oedd Iesu o Nasareth pan
aeth Bono a Bob Geldoff i'r Fatican i hybu ymgyrch Jiwbilî
2000, ond mynd yno gyda hwy. Yna – wedi diolch i'r Pab am ei
gefnogaeth a chydymdeimlo â'i bwysau gwaith a'i afiechyd – fe
fuasai wedi mynd ar ei ffordd ac at ei waith i ryddhau pobloedd
Affrica, India a De America. Fe fuasai wedi rhannu ei gyfrinach
o ryddid â Bono a Geldoff hefyd.*

A ninnau'n cyrraedd mileniwm newydd, mae'n naturiol inni
edrych yn ôl ar yr hyn a gyflawnodd dyn yn ystod y can
mlynedd diwethaf. Canrif o ryfela oedd hi meddai'r haneswyr,
ond canrif o gydweithio a chwalu'r hen furiau rhwng y
gwledydd meddwn i. Ni welwyd cymaint o gydweithio rhwng y
gwledydd erioed o'r blaen. Dyma ganrif sefydlu'r Cenhedloedd
Unedig, Cymorth Cristnogol, Oxfam, a Medicins Sans
Frontiere a thwf y Groes Goch...

   – *Neges Ewyllys Da yr Urdd, 2000*

*Lle roedd caethweision unwaith gyda'u pris ar eu gyddfau,
bellach mae plant yn cael eu geni gyda dyled yn faen melin am
eu gwddf. Yn Tasmania mae gan bob plentyn ddyled o 250 o
ddoleri, yn Mosambig 350 o ddoleri... Ni allwn gau ein llygaid
i'r un ffaith greulon hon: mae Affrica heddiw yn cael ei
chroeshoelio.*

   – Proclaim Liberty, *Cymorth Cristnogol*

*Fel hyn y dywed yr Arglwydd, Duw Israel 'Gollwng fy mhobl
yn rhydd er mwyn iddynt gael fy addoli yn yr anialwch'.
Dywedodd Pharo 'Pwy yw yr Arglwydd? Pam y dylwn
ufuddhau iddo a gollwng Israel yn rhydd?'*

   – *Ecsodus 5.1,2*

Y feirniadaeth gyffredinol, hyd syrffed bellach, yw mai swbwrbia barchus dinas Dduw yw'r eglwys, ac mai'r gwaethaf all ddigwydd iddi yw mai yn y swbwrbia yn unig y bydd yn llwyddo. Y ffaith yw bod digon o enghreifftiau sy'n profi mai dyna'r gwir. Mae nifer o eglwysi bywiog i'w gweld o hyd yn y trefi ac ar gyrion y dinasoedd, ac ambell un yng nghanol dinasoedd, er bod yr eglwysi hynny yn mynd yn llai ac yn llai eu nifer. Mae Caerdydd yn enghraifft dda o'r twf a'r llewyrch hwn. Mae'n rhaid bod yn ofalus wrth ddefnyddio'r gair, 'bywiog', oherwydd mae nifer fawr o ffactorau cymdeithasol i'w hystyried, er enghraifft, symud yn y boblogaeth a thwf ysgolion Cymraeg. Yn yr eglwysi hyn y mae'r adnoddau o safbwynt pobl, ac mae yna lawer o bobl sy'n ddigon hapus i fynd heibio i sawl capel bach dilewyrch, di-blant er mwyn cyrraedd eglwysi sydd yn fwy bywiog. Ond mae agwedd arall ar y sefyllfa hon.

Mewn erthygl ddiddorol yng nghylchgrawn Cymdeithas y Beibl, *Transmission* (Gwanwyn 1999), mae Colin Green o'r Gymdeithas yn rhybuddio'r eglwys rhag cael ei gweld fel cwmni preifat sy'n rhannu yr hyn a elwir yn 'grefydd' wedi cael ei phacio a'i rhwymo mewn amrywiaeth o liwiau i fodloni dewisiadau personol y cwsmeriaid! Dyna pam y bu symud o un eglwys i eglwys arall a siwtiai'n well yn ystod cyfnod twf carismataidd y saith degau a'r wyth degau. Mae'r un peth yn wir am lawer o eglwysi efengylaidd ac am grwpiau tai, pan oedd grwpiau felly yn eu hanterth. O eglwysi eraill y daethant. Nid yw enwadaeth nac iaith yn ymddangos mor bwysig erbyn hyn: y pwyslais diwinyddol a'r apêl bersonol sydd wedi arwain llawer o bobl yng Nghymru i ymuno ag eglwysi eraill. Beth bynnag yw dilysrwydd ac onestrwydd y dadleuon a roddir i gyfiawn-hau newid eglwys – 'Nid oedd yr eglwys yr oeddwn ynddi yn fy niwallu yn bersonol', 'Maen nhw mor gyfeillgar yn yr eglwys newydd', 'Mae'r addoli yn fwy bywiog', 'Mae Gair Duw yn cael ei le' – y gwir yw bod symudiadau o'r fath yn adlewyrchu'r pwyslais ar ryddid yr unigolyn i ddewis a'r hawl i gael dewis.

Mae'n ddadl sy'n tanseilio unrhyw egwyddor o gymuned, ond mae hefyd yn gwbl groes i weledigaeth a chred Iesu o Nasareth ei hun. Mae machlud y tele-efengylwyr yn America yn rhybudd clir iawn i ni nad rhywbeth i'w werthu i unigolion yw efengyl Iesu'r Iddew. Yn ogystal â hynny, mae'r duedd i siopa am eglwys yn ein rhybuddio am beryglon mawr diwinyddiaeth llwyddiant, diwylliant twf a thechnegau masnachu sydd hefyd wedi bod mor nodweddiadol o flynyddoedd Thatcheriaeth, fel y'u gelwir erbyn hyn. Mae ffin beryglus o denau rhwng bod yn effeithiol a chyfoes a bod yn llwyddiannus ac yn ffyniannus. Dyna pam mae'r eglwys yn cael ei galw yn ôl yn gyson i Nasareth er mwyn cael ei hatgoffa o wreiddiau ei ffydd yn y gymuned yn y pentref hwnnw. Fel Iesu o Nasareth y cafodd ei adnabod a'i gyflwyno hyd yn oed i bwysigion Rhufain (Actau 26, 9)

Datganiad

Cyhoeddi dyfodiad teyrnas Dduw a datgan beth a olygai hynny oedd y newyddion da a gyhoeddwyd gan Iesu. Mae'r Efengylau i gyd yn cytuno ar hynny. Dim ond Luc (4,16-30), fodd bynnag, sy'n cofnodi yn glir ac yn fanwl iddo gyhoeddi hyn mewn un digwyddiad allweddol yn ei weinidogaeth, sef yn y synagog yn Nasareth. Mae Mathew a Marc yn cyfeirio at y digwyddiad er mwyn pwysleisio bod yr achlysur wedi cythruddo pobl Nasareth oherwydd yn gynnar iawn yn ei weinidogaeth fe welodd Iesu nad oes croeso i broffwyd yn ei wlad ei hun. Yn dilyn y temtiad yn yr anialwch a'i fedydd gan Ioan, ac ar ôl blynyddoedd lawer o baratoi, dewisodd Iesu synagog ei gartref fel y lle a'r amser i ddechrau ei waith. Roedd hynny'n gwbl fwriadol.

Mae'n arwyddocaol iawn mai darllen o'r Ysgrythurau oedd gweithred gyhoeddus gyntaf Iesu ar ôl ei fedydd. Yn draddodiadol, mae'r eglwys Gristnogol wedi cyfeirio at y digwyddiad hwn fel 'pregeth Iesu yn Nasareth'. Er nad oedd yn bregeth yn ystyr arferol y gair, mae'n amlwg iawn mai 'pregeth Iddewig' ydoedd: cymryd darn o'r Ysgrythur a myfyrio arno. Mae'n darllen geiriau y proffwyd Eseia:

'Mae Ysbryd yr Arglwydd arnaf
oherwydd iddo f'eneinio
i bregethu newydd da i dlodion.
Y mae wedi f'anfon i gyhoeddi
rhyddhad i garcharorion,
ac adferiad golwg i ddeillion,
i beri i'r gorthrymedig gerdded yn rhydd,
i gyhoeddi blwyddyn ffafr yr Arglwydd.'
(Luc 4,16–19. Eseia 61,1–2)

Yna, ar ôl eistedd, dywedodd, 'Heddiw, yn eich clyw chwi, y mae'r Ysgrythur hon wedi ei chyflawni.'

Mae 'Blwyddyn ffafr yr Arglwydd' felly wedi gwawrio ac mae Iesu, wrth ddweud hynny, yn cyhoeddi Jiwbilî. Nid neges y mae Iesu wedi ei chreu yw hon ond datganiad clir fod holl ewyllys a bwriad Duw, fel y'i mynegwyd yn hanes yr Iddewon a thrwy eu Hysgrythurau, wedi dod yn wir. Mae pawb bellach yn ymwybodol fod Ymgyrch Jiwbilî 2000 (dyna'r sillafiad a ddefnyddir gan yr ymgyrch yng Nghymru, er mai *Jwbili* sy'n gywir) yn rhan o ddathliad-au'r milflwyddiant drwy'r byd. Fe fyddwn yn dod yn ôl at yr ymgyrch yn nes ymlaen, ond mae Datganiad Nasareth yn grynodeb o beth yw Jiwbilî. Oherwydd bod Duw yn Dduw cyfiawnder, rhyddid a heddwch, mae gweithredu'r egwyddorion hynny yn allweddol i fywyd ei bobl ac i fywyd y byd. Mae egwyddor Jiwbilî yn cael ei datgan yn wythnosol ac yn flynyddol, ond ar ôl 'saith Saboth o flynyddoedd' (sef 7 x 7 = bron i 50 o flynyddoedd) fe gyhoeddir y Jiwbilî fawr sydd yn golygu rhyddhau caethweision a dileu dyledion er mwyn i bawb gael y rhyddid i ailddechrau heb ormes y gorffennol ar eu hysgwyddau. O'r fan yna y tarddodd Jiwbilî 2000. Mae llawer i'w ddweud am yr ymgyrch, ond digon ar hyn o bryd yw dweud hyn:

Cyfanrwydd

Nid oes rhwyg rhwng y materol a'r ysbrydol yma oherwydd sôn am fywyd y mae datganiad y Jiwbilî. Mae gwahanu'r naill a'r llall yn gwbl estron i'r Gair ac felly yn estron i Iesu ei hun ac nid yn rhy gynnar y daeth Ymgyrch Jiwbilî 2000 i'n hatgoffa o hynny. Mae Cymorth Cristnogol, ynghyd â mudiadau eraill wedi bod yn allweddol yn llwyddiant Jiwbilî 2000 ac oherwydd hyn wedi bod yn help i bobl sylweddoli nad rhywbeth arall neu ochr ymarferol Cristnogaeth neu gangen o Gristnogaeth yw Cymorth Cristnogol. Y gwir yw bod Cymorth Cristnogol (nid yn unig fel elusen ond yn y gwaith addysgiadol ac ymgyrchol) yn gymaint rhan o'n ffydd ag yw sacrament y cymun neu 'r bedydd. Anfodlon iawn fu'r eglwys i dderbyn hynny: mae bedydd yn ymddangos yn weithred fwy ysbrydol nag yw ymgyrch Jiwbilî 2000. Wrth reswm, nid yw ychwanegu'r gair 'Cristnogol' o angenrheidrwydd yn gwneud unrhyw weithgarwch yn fwy Cristnogol. Ond rhywbeth cwbl wahanol yw dweud, 'Nid ar fara yn unig y bydd byw dyn', ac mae hynny hefyd yn perthyn i gred Cymorth Cristnogol.

Yn ôl Helder Camara o Brasil, a fu farw yn 1999, pan ddywedai ef fod angen bwydo'r newynog byddai pobl yn ei alw yn Gristion, ond pan ofynnai pam roedd pobl yn newynu galwai pobl ef yn Gomiwnydd. Mae'n bwysig pwysleisio y gall mudiadau eraill sy'n gwneud yr un gwaith â Chymorth Cristnogol fod yn gymaint rhan o waith y Deyrnas hefyd. Cyfyngu ar waith Duw ei hun yw awgrymu na all yr eglwysi gydweithio â mudiadau felly. Un o ffactorau pwysicaf ein cyfnod yw bod yna gynifer o fudiadau y gall yr eglwys greu partneriaeth â hwy. Yn bendant, mae mwy o fudiadau erbyn hyn sydd â'r gallu i fod yn fwy effeithiol a phrofiadol nag yw'r eglwys i wireddu Jiwbilî.

Mae Datganiad Nasareth yn brawf, os oes angen prawf o gwbl, na wahenir gwleidyddiaeth a chrefydd yn y ffydd Iddewig- Gristnogol oherwydd nid oes dim carfanu ar fywyd; ac mae unrhyw awgrym gwahanol yn tanseilio cyfanrwydd y Gair. Mae datganiad Nasareth yn fynegiant o neges fawr y proffwydi ac yn gwireddu'r canllawiau a gyflwynir yn Llyfr Deuteronomium i greu cymdeithas gyfiawn. Wrth gyhoeddi bod y deyrnas wedi dod, mae Iesu yn cyflawni bwriad Duw ar gyfer ei fyd. Cyflawni, nid gwireddu yn llwyr. Mae'r deyrnas wedi dod, ond nid yw wedi ei gwireddu yn llawn eto. Cael rhan yn y gwaith hwnnw o wireddu y mae'r eglwys. Mae'r eglwys yn arwydd o'r deyrnas honno: nid yma i newid neu i achub y byd y mae'r eglwys ond i fod yn arwydd o'r deyrnas ac yn rhan o weithgarwch Duw i wireddu'r deyrnas. Dyna pam, yn hanes yr eglwys, y mae gwrthdaro a thyndra wedi bod rhwng yr eglwys a'r deyrnas. Nid yw'r eglwys bob amser wedi bod yn arwydd o'r deyrnas, ond yn hytrach, bu'n fwy teyrngar i awdurdodau eraill, weithiau mewn ofn, weithiau trwy gyfaddawdu. Roedd hynny'n dilyn y patrwm, oherwydd fe ddigwyddodd hefyd i broffwydi mawr yr Hen Destament ac fe ddigwyddodd yn Nasareth ac yn Jeriwsalem. Gan ein bod wedi sôn am Helder Camara, ni allwn anghofio i'r Eglwys Gatholig ymwrthod â'r rhai sydd wedi ceisio gweithredu ar Ddatganiad Nasareth yn Nicaragua, El Salvador, Guatemala, Brasil, Bolifia a Chile. Offeiriaid Pabyddol oedd llawer o'r rheini a oedd yn barod i weithredu eu Jiwbilî cyn bod sôn am Jiwbilî 2000, a gwneud hynny ar sail Datganiad Nasareth. Mae'r un peth wedi digwydd yn Korea a gwledydd eraill yn y Dwyrain lle mae'r eglwysi Presbyteraidd a Phentecostal wedi gweld cynnydd mawr carismataidd ond, ochr yn ochr â'r eglwysi cyfoethog hyn, mae diwinyddiaeth *min-jung* wedi annog rhai i weithredu gyda'r tlawd yn erbyn llywodraethau militaraidd. Fe ddigwyddodd yr un peth yn Ne Affrica ac yn Nwyrain Timor. Ond yn oes y pwyslais mawr ar 'lwyddiant' nid yw eglwysi Jiwbilî yn llwyddo!

Agenda'r Deyrnas

Nid eithriad oedd Datganiad Nasareth, ond math o faniffesto oedd yn cyflwyno agenda'r deyrnas i'r Iddewon. Ei gweithredu a'i byw wnaeth Iesu ym mhob peth a wnaeth. Ym mhob man ac ym mhob gair a gweithred, y mae'r Deyrnas wedi dod. Yr un yn union yw neges 'Gweddi'r Arglwydd.' I lawer o Gristnogion efallai mai 'Gweddi'r Arglwydd' yw'r mynegiant mwyaf o'u ffydd. Gweddi'r Deyrnas ydyw oherwydd 'Ein Tad' ac nid 'Fy Nhad' yw ei sylfaen. Cam â'r weddi yw gwneud bara a dyledion a theyrnas yn bethau ysbrydol gan anghofio mai gweddi ydyw am i ewyllys Duw gael ei chyflawni ar y ddaear fel yn y nef. Fe allem ei galw yn ' Weddi Nasareth', oherwydd mae'r weddi mor rymus â'r Datganiad. 'Y weddi sy'n cyfannu'r byd', meddai un esboniwr amdani.

I ddathlu'r milflwyddiant fe luniwyd datganiad y gallai pawb – o unrhyw grefydd, neu heb grefydd o gwbl – ei ddefnyddio fel addewid/gweddi 2000.

> Bydded parch i'r cread,
> heddwch i'r bobl,
> cariad yn ein bywyd,
> ymhyfrydu mewn daioni,
> maddeuant am droseddau ddoe -
> a dechrau newydd.

Nid yn annisgwyl, bu rhai Cristnogion ceidwadol yn feirniadol iawn ohono oherwydd ei amwysedd a'r diffyg gwirioneddau'r ffydd ynddo. Iddynt hwy, datganiad seciwlar ydoedd ac nid oeddynt am wneud defnydd ohono. Efallai nad yw Gweddi'r Arglwydd yn ddigon diwinyddol yn eu golwg chwaith ond, mewn gwirionedd, dweud yr un peth y mae'r weddi honno, ond bod Gweddi'r Arglwydd yn fwy cyfoethog oherwydd iddi ddod o enau Gŵr y Jiwbilî.

Ar droad y milflwyddiant fe fu sylw mawr i'r ffaith fod fersiwn Cliff Richards o 'Weddi'r Arglwydd' wedi cyrraedd brig y siartiau. Bu beirniadu mawr ar y gân ac fe wrthododd rhai gorsafoedd radio ei chwarae: nid am ei bod yn gân Gristnogol ond am ei bod, yn eu barn hwy, yn gân ddychrynllyd o ddiflas ac mai sentiment y canol oed yn unig fyddai'n ei rhoi ar y brig. Yn yr ystyr hwnnw, roedd y gorsafoedd radio hynny yn llygaid eu lle – roedd canu Gweddi'r Arglwydd ar *Auld Lang's Eyne* yn ei gwneud yn gân fach feddal a sentimental a neis. Ond mae Gweddi'r Arglwydd, yng nghysylltiadau Nasareth ac Iesu'r Iddew, yn alwad rymus Jiwbilî a'r geiriau yn fwy chwyldroadol nag unrhyw ddatganiad arall a wnaethpwyd gan wleidydd-ion na gwladweinwyr nac arweinwyr crefyddol.

Byw mewn cymuned

Yn Nasareth y gwnaeth Iesu'r datganiad, ac nid yn Jeriwsalem. Er bod y grefydd Iddewig wedi cael ei chanoli yn Jeriwsalem ac yn y deml, ac er bod Jeriwsalem yn gyrchfan gyson i bererinion, crefydd gwbl gymunedol ydoedd Iddewiaeth. Roedd yn cyfannu aelwyd a chymdeithas, teulu a chyngor, gwlad a thref, gwerin a llywodraethwyr. Mewn cymuned yr oedd yn cael ei byw a thrwy fywyd y gymuned honno y câi ei mynegi. Roedd iddi hefyd, wrth gwrs, bwyslais personol sylfaenol, oherwydd roedd yn addysg bywyd i bob plentyn a theulu. Po fwyaf oedd y pwyslais ar gyfrifoldeb personol pob Iddew, cryfaf oedd y pwyslais cymunedol a theuluol. Oherwydd i'r Iddew roedd yr unigolyn yn cynrychioli'r genedl gyfan, fel yr oedd y genedl gyfan hefyd yn cynrhychioli'r unigolyn; a dyna feddwl cwbl unigryw yr Iddew i'r byd. Nid oedd rhaniad rhwng y personol a'r cymunedol. Yn Nasareth, y cymunedol sy'n cael y sylw. Mae hynny yn ein hatgoffa o ddau beth.

Y peth cyntaf yw hyn: wrth sôn am yr eglwys yn tyfu yn ystod chwarter olaf yr ugeinfed ganrif, mae'r pwyslais bron yn gyfan gwbl wedi bod ar niferoedd ac ar brofiad personol. Mae bywyd a nôd yr eglwys yn gyfan gwbl i'r cyfeiriad hwn. Mae'r twf hwnnw, wrth gwrs, wedi bod yn eithriadol: o eglwys *Holy Trinity, Brompton* a *The London Kingsway Community Church* i eglwys *Youngnak* yn Korea. Rhwng 1980 ac 1985 roedd yr eglwys fyd-eang yn tyfu ar raddfa o 68,000 bob dydd. Wrth sôn am dŵf a llwyddiant yr eglwys fydeang, felly, am yr eglwysi â'r adfywiad hwn y mae pobl wedi bod yn meddwl. Ond mae ochr arall i'r darlun.

Mewn cyfnod o ddiwreiddio mae ail hanner yr ugeinfed ganrif hefyd wedi gweld yr eglwys yn dod yn fwy ac yn fwy ymwybodol o'i chyfrifoldeb cymunedol. Dyna sydd wedi bod yn digwydd yn dawel ond yn bendant ar hyd a lled Cymru, Prydain ac Ewrop wrth sefydlu Eglwysi Cymuedol. Yng ngolwg yr eglwysi hynny, eu cenhadaeth yw bod yn arwydd o'r deyrnas yn eu cymuned ac yn gyfrwng creu gwerthoedd cymunedol. Mewn cyfnod pan fo'r gwerthoedd hynny dan warchae mae Cristnogion yn dod yn fwy ymwybodol o'u cyfrifoldeb. Dyna sydd wedi digwydd mewn mannau fel Craigmillar yng Nghaeredin, Easterhouse yn Glasgow, Penrhys yn y Rhondda a Noddfa yng Nghaernarfon. Y pwyslais ar gymuned a chanolfan gymunedol sydd hefyd wedi arwain at sefydlu canolfannau fel Iona, Corrymeela, Trefeca, Taize, Grandchamp, L'Arche, Bruderhof, Tŷ'r Gymuned yng Nghasnewydd a Chanolfan Salem yn y Rhyl. Y tu ôl i'r datblygiadau hyn, mae Datganiad Nasareth. Nid ydynt wedi cael yr un sylw ag a gafodd twf yr eglwysi carismataidd ac felly nid ydynt yn ymddangos mor arwyddocaol â'r twf hwnnw, ond mae'n genhadaeth sydd â'i gwreiddiau yn nwfn yn agenda Iesu. Wrth drafod y cyfnod 1962–79 dan y pennawd, *Unchartered Waters,* mae Densil Morgan yn rhoi sylw mawr yn ei gyfrol i'r hyn a ddigwyddodd yn Aberfan, ac yn gweld ymateb yr eglwysi i'r drychineb fawr honno yn arwydd o genhadaeth a gododd ac a ddatblygodd mewn argyfwng a chwalfa: daeth Aberfan yn olau gobaith mewn byd peryglus. Aethai dyddiau unigolyddiaeth trosodd, meddai Densil Morgan (tud. 240), ac roedd yr efengyl yn cael ei mynegi yn gwbl gymunedol, fel y mae yn y Beibl . Roedd yr eglwys yn Aberfan – trwy Dŷ Toronto – yn galluogi cymuned ac unigolion i ailddarganfod ystyr a phwrpas i'w bywyd. Pan nad oedd ateb i gwestiynau, roedd presenoldeb Crist yno trwy ei bobl. Enghraifft eithafol yw Aberfan, ond y gwir yw bod cymunedau cyfan wedi cael eu chwalu yn araf gan alar dros y blynyddoedd. Mae gan Ddatganiad Nasareth lawer iawn i'w ddweud am amgylchiadau felly.

Yr ail beth yw hyn: mae'n haws credu yn Nasareth nag yn unman arall, oherwydd mae perthyn yn dod o flaen credu. I lawer fe fydd sylw o'r fath yn tanseilio pwysigrwydd cred. Ond y gwir yw bod cred bersonol yn gallu bod yn fregus iawn. Yn y Beibl, mae ffydd yn gyson yn chwilio am gymdeithas ac mae'r gymdeithas yn gyson yn hybu ac yn datblygu ffydd. I lawer o bobl mae'n ymddangos bod perthyn yn dod o flaen y credu. Roedd hyn hyd yn oed yn wir am Iesu, a dyna pam mai yn y synagog yn Nasareth y mae'n gwneud ei ddatganiad. Dyna pam hefyd y galwodd ddisgyblion i'w ddilyn, nid fel unigolion ond mewn perthynas a chymdeithas â'i gilydd. Mae'r disgyblion yn cael eu cynnal yn y gymdeithas honno ond mae gwendidau a methiannau'r disgyblion yn dod i'r amlwg pan fyddant yn gadael y gymdeithas ac yn gweithredu fel unigolion. Dyma ddigwyddodd i Pedr ac i Jiwdas. Cawsant eu galw i gyfeillgarwch nid yn unig ag Iesu ond â'i gilydd. Mae hyn yn allweddol bwysig i 'genhadaeth yn ffordd Crist' ac mae'n ymddangos bod y meddwl cenhadol cyfoes yn gweithredu'n gwbl wahanol i hynny yn aml. Mewn ymgyrchoedd efengylaidd, fe glywir yn aml mai argyhoeddi pobl o'u cyflwr a'u hangen yw'r cam cyntaf er mwyn cyflwyno'r efengyl iddynt. Y gobaith wedyn yw y byddant yn cysylltu â rhyw eglwys ac yn ymuno â'r gymdeithas Gristnogol. Mae'r ymgyrch wedi gwneud ei gwaith! Ond mae angen pwysleisio hefyd fod dylanwad y Gyngrair Efengylaidd wedi gwneud 'eglwysi efengylaidd' yn fwy ymwybodol nag erioed o'u cyfrifoldeb cymunedol – dyna yw prosiectau fel 'Eden' yn Lloegr, y cylchgrawn *Third Way*, ac eglwysi fel Antioch yn Llanelli.

Colli Perthyn

Ond y mae'r Beibl yn dweud rhywbeth arall wrthym: am mai Duw teyrnas yw Duw mae'n amhosibl bod yn y deyrnas honno fel unigolyn. Dyna yw neges Nasareth. Fe ellid symleiddio hyn drwy ei roi ar ffurf cwestiwn: ai colli cymuned yntau colli cred yw argyfwng Cymru? Ai mater o gredu neu fater o ddirywiad ardaloedd gwledig Cymru yw dirywiad yr eglwysi? Mae'r cwestiwn, wrth gwrs, yn rhy syml. Ond o un peth fe allwn fod yn berffaith siŵr: mae cymuned yn gyfrwng i gynnal ffydd. Mae cymuned hefyd yn gyfrwng i feithrin ffydd. Erbyn hyn, yr her fawr i eglwysi a chapeli Cymru yw nid yn unig gwasanaethu cymdeithas a phawb o fewn y gymdeithas honno, ond bod yn gyfrwng i greu ac i adeiladu cymdeithas. Ac o fewn pob bro mae ganddi'r adnoddau i greu canolfannau, lle bydd addoli yn dechrau datblygu a thyfu unwaith eto oherwydd bod yr addoli hwn yn rhan o fywyd cyfan y gymuned. Pan aeth yr eglwysi i'w hystyried eu hunain yn ganolfannau ysbrydol yn unig, fe ddyfnhawyd y rhwyg rhwng yr ysbrydol a'r seciwlar a rhwng ffydd a diwylliant. Daeth galw am ganolfannau cymdeithasol mewn pentrefi – ac fe adawyd y capeli fwyfwy ar y cyrion . Mae eithriadau, wrth gwrs, ond fe fu'r canolfannau cymdeithasol yn arwydd o gyfle a gollwyd ac yn genhadaeth a wrthodwyd gan yr eglwysi, ac mae'r gymuned a'r eglwysi yn talu'r pris am hynny.

Teulu

Mae sôn am berthynas yr eglwys â'r gymuned yn ein hatgoffa bod Datganiad Nasareth yn mynd i galon un agwedd ar fywyd ein cymdeithas nad yw'r eglwys yn siŵr sut i ymateb iddi. Aeth priodas erbyn hyn yn fater o foesoldeb personol. Dewis personol yw a yw dau berson am briodi neu a ydynt am gyd-fyw. Dewis personol yw a ydynt am gael plant cyn priodi neu ar ôl priodi. Erbyn hyn mae'n gwestiwn mor bersonol fel ei bod yn rhaid i rieni dderbyn mai'r plant sydd i wneud y penderfyniad. Nid yw'r ffaith fod priodas yn holl bwysig i rieni yn ddigon o reswm i'r plant dderbyn priodas ac erbyn hyn mae perthynas dau â'i gilydd wedi mynd yn faes lle mae amrywiaeth, rhyddid a dewis yn iachach na'r hen arferion 'parchus' o briodi mewn eglwys neu gapel. Ar wahân i hynny mae digon o ddewis o fannau i briodi ac fe all priodas hyd yn oed fod yn rhan o becyn gwyliau i ddau.

Yn hyn i gyd, fe ysgarwyd priodas o'r gymuned. Nid mater o foesoldeb personol yw priodas ond mae'n sylfaen cymdeithas yn y traddodiad Iddewig-Cristnogol. Mae Datganiad Nasareth wedi ei seilio – er nad yw'r gair yn y Datganiad – ar gyfamod. Mae hynny yn golygu cyfamod, ymrwymiad, rhwng Duw a dyn, rhwng gŵr a gwraig, rhwng rhieni a phlant ar hyd eu hoes; mae hefyd yn gyfamod rhwng Duw a'i bobl, rhwng dynion a merched i gynnal ac i adeiladu cymdeithas er lles pawb. Mae llacio a thorri unrhyw agwedd ar y cyfamod hwnnw yn tanseilio cymdeithas ac yn creu chwalfa. Nid 'byw mewn pechod' yw peidio â phriodi, ond byw hunanol heb unrhyw gyfrifoldeb i gynnal cymuned. Yn y pen draw, penrhyddid ydyw. Mae ymwrthod â chyfamod priodas wedi cyflymu'r chwalfa sydd wedi gwneud ein cymdeithas yn unigolyddol, yn hunanol ac yn arwynebol. Fe wyddai Iesu fod gwead clòs bywyd wedi ei greu gan y Duw sy'n gwybod bod ar ddynion angen cyfamod i fyw ar y ddaear. Nid dadl o blaid y darlun traddodiadol o briodas a'r diffiniad traddodiadol o deulu yw hon, oherwydd fe ŵyr pawb erbyn hyn fod mwy nag un diffiniad o deulu. Mae mam ddibriod a'i phlentyn yn gymaint o deulu ag ydyw mam a thad a dau o blant. Mae Datganiad Nasareth yn sôn am y diwreiddio, y siglo sylfeini, yr anghyfiawnder ac yn wir yr anhrefn a grëir lle nad oes cyfamod na chyfrifoldeb. Nid oes gwell mynegiant o gyfrifoldeb i'r genhedlaeth a ddaw ac i blant ac i gymuned na phriodas. Ond rydym wedi ymwrthod â hi fel pe na bai'n ddim mwy na dewis arall mewn byd o ddewisiadau.

Cyhuddiad

A dod yn ôl at y berthynas rhwng ffydd a diwylliant y bobl; i ychwanegu at y dieithrio rhyngddynt daeth cyhuddiad arall eto fyth yn sgil y twf ceidwadol grefyddol - y cyhuddiad fod y Cymry yn cymysgu crefydd â diwylliant a bod yr eglwysi wedi mynd yn ganolfannau diwylliannol yn unig. Mae'n wir bod yna rai Cymry sydd fel petaent yn arddel eu ffydd yn unig drwy'r diwylliant a dyfodd gyda'r ffydd honno: y gymanfa ganu, *Dechrau Canu, Dechrau Canmol*, darnau eisteddfodol, yn ogystal â'r iaith Gymraeg ei hun. Ond mae'r hen gyhuddiad hwn yn farw gorn erbyn hyn. Aeth diwylliant Cymru ar un llaw yn fwy seciwlar ac aeth dieithrio fwyfwy oddi wrth yr eglwysi. Roedd yn arwyddocaol iawn bod cyfres fawr y milflwyddiant, *Cymru 2000*, ar S4C wedi penderfynu peidio â rhoi rhaglen gyfan i grefydd (er i wleidyddiaeth, economeg, diwylliant a chwaraeon gael hynny) oherwydd bod bywyd yr eglwysi wedi mynd yn llai ac yn llai perthnasol i fywyd Cymru. Mewn un man fe ddywedodd Merfyn Jones, cyflwynydd y gyfres, 'Am gyfran helaeth o'r ugeinfed ganrif, roedd yn rhaid i bobl Cymru ddygymod â dylanwad y capel' (tud. 84 yn y gyfrol sy'n seiliedig ar y gyfres). 'Dygymod' yw'r gair allweddol, fel petai dylanwad y capeli yn gosb ac yn faich. A dyna yw'r dagrau. Ni fu'r eglwysi, yn arbennig ar ôl yr Ail Ryfel Byd, (ac am flynyddoedd lawer cyn hynny, yn ôl Tudur Jones) yn gyfrwng i warchod, heb sôn am adnewyddu, bywyd y gymdeithas. Fe fu chwalfa fawr ac fe beidiodd y capeli â bod yn ganolfannau cymdeithasol. Yn ychwanegol at hynny wrth gwrs, gadawodd pobl ifanc gefn gwlad, a daeth cyfnod dylifiad mawr y mewnfudwyr, a pheidiodd y capeli â bod yn ganolfannau bro. Mae hyn i gyd yn rhan o'r dylanwadau sy'n chwalu cymdeithas ac yn tanseilio cred yr un pryd.

O na bai'r eglwysi unwaith eto yn ganolfannau diwylliannol! Mae mwy o angen nag erioed dod â'n ffydd a'n diwylliant yn nes at ei gilydd. Cred gyfeiliornus ond poblogaidd iawn yw bod yr eglwys wrth natur yn erbyn y diwylliant cyfoes. Achos syndod ar adegau yw sylweddoli cynifer o bobl sydd dan yr argraff mai bod yn erbyn pob peth bron yw gwaith yr eglwys! Mae'n wir bod yr eglwys yn cael ei galw i farnu'n cymdeithas â llais proffwydol, ond mae hefyd wedi cael ei galw i godi pontydd rhwng yr efengyl a'r diwylliant cyfoes. Mae digon wedi ei awgrymu'n barod i'n hatgoffa ein bod mewn cymdeithas sy'n dyheu am weld pontydd yn cael eu codi. Mae Cristnogaeth, fel Iddewiaeth, yn ffydd i gynnal, meithrin a chreu diwylliant y gymuned a'r genedl. Mae hwn yn bwyslais eithriadol o bwysig ac fe fyddwn yn dychwelyd ato yn y bennod olaf. Yn wir, mae'n agwedd ar genhadaeth yr eglwys sy'n cael mwy o sylw nag erioed. Mae adnewyddiad yr eglwys yn y Trydydd Byd yn golygu yn aml ymwrthod â'r diwylliant estron y bu'n raid iddynt ei dderbyn yn y gorffennol, ac ymhyfrydu yn hytrach yng nghyfoeth diwylliant brodorol eu gwledydd eu hunain. Mae'r berthynas yn annatod. Erbyn hyn mae nifer gynyddol o Gymry yn ystyried bod yr eglwysi yn perthyn i ddiwylliant a fu, a bod yr eglwysi fel y diwylliant hwnnw wedi marw. Gweddillion diwylliant a fu yw crefydd iddynt – pregeth, emynau, organ. Nid peth anarferol bellach yw cael Cymry Cymraeg hyd yn oed sy'n teimlo'n gwbl anghyfforddus mewn capel am eu bod fel petaent yn perthyn i fyd arall. Mae'n rhaid i'r ddau fyd gyfarfod – dyma yw bod yn eglwys mewn cymdeithas.

Rhaid dod yn ôl at Ddatganiad Nasareth. Efallai ei bod yn ymddangos fel petaem wedi anghofio cynnwys y Datganiad, ond roedd yn rhaid sôn am gefndir ac amgylchiadau'r Datganiad cyn sôn am y cynnwys. Chwalu'r muriau rhwng yr eglwys a'r gymdeithas, rhwng y synagog a'r genedl a wna'r Datganiad, gan ein hatgoffa mai canol sydd i'r deyrnas ac nid ffiniau. Erbyn hyn, yn wahanol i ddyddiau Iesu, mae pentref Nasareth yn Arfon yn bentref byd a dyna pam mae ymgyrch *Jiwbilî 2000* yn ymgyrch sydd yn garreg filltir – yn groesffordd yn wir – eithriadol o bwysig yn hanes yr eglwys Gristnogol. Mae'r ymgyrch yn ein galw ni yn ôl i wreiddiau Iddewig ein ffydd. Ymgyrch Iesu'r Iddew ydyw.

Beth, felly, yw arwyddocâd *Jiwbilî 2000* i ni?

Rhyddid a chyfrifoldeb

Jiwbilî 2000 yw'r ymgyrch sy'n gwreiddio dathliadau'r flwyddyn 2000 yn Natganiad Nasareth. Wedi iddo ddarllen o Lyfr y Proffwyd Eseia a gorffen gyda'r geiriau, 'i gyhoeddi Blwyddyn Ffafr yr Arglwydd', fe ddywedodd Iesu, ' Heddiw, yn eich clyw chwi y mae'r Ysgrythur hon wedi ei chyflawni.' (Luc 4, 21) Nid dyma'r lle i fanylu ar Jiwbilî (mae digon wedi ei ysgrifennu yn barod), ond rhaid pwysleisio rhai pethau. Mae'r egwyddor o Jiwbilî i'w gweld yn Llyfr Deuteronomium (15, 1–15) ac yn fwy manwl yn Llyfr Lefiticus (pen. 25). Ar yr hanner canfed flwyddyn cyhoeddir bod pob dyled wedi ei dileu, bod y caethweision yn cael eu rhyddhau a bod pawb yn ailddechrau. Efallai mai delfryd oedd Jiwbilî ac efallai na chafodd ei weithredu'n llawn, ond mae'r egwyddor er hynny yn mynd i galon y weledigaeth Iddewig mai byd Duw yw hwn ac mai tenantiaid yn gwarchod byd Duw ydym ni. Cyfrifoldebau a breintiau, nid hawliau, oedd gan yr Iddewon ac maent yn freintiau i bawb yn ddiwahân; i'r gwas yn ogystal ag i'r meistr tir, i'r caethwas yn ogystal ag i'r weddw ddi-blant. Yn y cyfnod – er 1948 yn arbennig – pan fo hawliau dynol yn uchel ar agenda'r cenhedloedd, mewn egwyddor o leiaf, mae'r pwyslais hwn ar gyfrifoldeb yn gofyn am fwy na hawliau hyd yn oed. Mae 'cyfrifoldeb' yn golygu mai arnom ni y mae'r cyfrifoldeb i ofalu, nid yn unig am ein hawliau ein hunain, ond am hawliau eraill hefyd. Gwarchod hawliau pob un y mae Jiwbilî. I'r Iddewon roedd Jiwbilî yn rhan o egwyddor sylfaenol cymuned a chenedl a wyddai beth oedd bod yn gaethweision yn yr Aifft. I ddathlu ac i fyw eu rhyddid yng ngwlad Canan, mae Duw yn gosod sylfeini bywyd sy'n mynd i warchod y rhyddid hwnnw – i bob un. Mae'r syniad o Jiwbilî yn rhan o gyfundrefn oedd wedi ei seilio yn gyfan gwbl ar gyfiawnder a *shalom*. Mae'n creu cytgord ac undod a rhyddid. Mae'n gofalu nad oes neb yn gormesu nac yn elwa ac mae'n bendant yn golygu unioni cam ac ailddechrau – i bob un. Roedd yn sicrhau bod teuluoedd yn cael parhau i fyw ar eu tir, bod gwead bregus y gymuned yn cael ei warchod, a bod cymuned yn byw drwy ddibynnu ar ei gilydd. Yn y gymuned hon mae pob un yn rhannu bendithion Duw.

Gwireddu Jiwbilî a chyhoeddi ei bod wedi dod a wnaeth Iesu – ail-lansio rhaglen Lefiticus, yr hyn yr oedd y proffwydi mawr wedi bod yn ceisio ei wneud ganrifoedd cyn hynny. Mae'r rhaglen nid yn unig yn Natganiad Nasareth ond yn nysgeidiaeth Iesu a'i berthynas â phobl yn eu holl amgylchiadau. Mae'r Jiwbilî yn ymestyn hyd yn oed i farwolaeth Iesu ar y groes. Dewisodd Iesu yn fwriadol fynd i Jeriwsalem yn ôl ei arfer i ddathlu'r Pasg ac i gofio a dathlu rhyddhau'r Iddewon o gaethiwed a chaethwasiaeth yr Aifft. Y cysylltiad o 'arwain o gaethiwed i ryddid' sy'n ei gwneud yn bosibl i ni weld y croeshoeliad fel gweithred fawr Duw yng Nghrist i arwain, nid yn unig yr Iddewon, ond y ddynoliaeth gyfan i ryddid. Dyna pam mae'r groes wedi parhau i fod yn arwydd gobaith i fyd sydd wedi ei gaethiwo ei hun i ormes ac anghyfiawnder ac ofn. Mae'r groes yn arwydd o gariad lle mae casineb, o ddaioni lle mae drygioni, o gymod lle mae gwrthdaro, o Dduw yn rhyddhau lle mae dynion yn caethiwo ac yn difa; ac oherwydd ei bod wedi ei gwreiddio mor ddwfn ym mywyd ac argyfwng un genedl – argyfwng ysbrydol, cymdeithasol a chenedlaethol – mae hefyd yn arwydd i'r holl fyd. Mae'n gondemniad llwyr ar wleidyddiaeth gyfyng a chyfalafol y Gorllewin. Mae Nasareth ar Galfaria. Mae Palesteina yno. A holl genhedloedd y byd. Ond oherwydd mai un dyn fu farw ar Galfaria, mewn cymundeb a pherthynas 'na thorrwyd gan angau na'r bedd' â'i Dad nefol, mae'r Groes hefyd yn dod yn arwydd o ddyfnder profiad personol. Dyna pam fod yna filiynau ar hyd y canrifoedd wedi cael adnewyddiad a rhyddid personol drwy Iesu. Ac o'r rhyddid hwn ac oherwydd y rhyddid hwn, y daeth Jiwbilî. Mae'n rhyddhau byd – a bywyd.

Dymchwel y cedyrn

Yn nyddiau Iesu roedd y genedl Iddewig dan iau Rhufain, ei bywyd cenedlaethol wedi chwalu ers cyfnod maith a'r gobaith o adfer y bywyd hwnnw yn denau iawn. Cof yn cael ei ail-fyw yn addoli'r bobl oedd y rhyddid a fu. Go brin bod Iesu wedi meddwl am funud ei fod yn mynd i wireddu Jiwbilî i'w bobl, ond fe arweiniodd ei weinidogaeth at wrthdaro oherwydd bod llawer o bobl yn gobeithio y byddai'r Meseia yn 'prynu Israel i ryddid' (Luc 24, 21). Roedd Jiwbilî Iesu yn fwy o lawer na hynny. Roedd yn cyhoeddi Jiwbilî i'r byd ac roedd am i'w ddilynwyr fyw fel celloedd Jiwbilî a fyddai'n arwydd o'i deyrnas; ond o fod dan iau Cesar yn wleidyddol, roedd Jiwbilî yn golygu cyhoeddi Arglwydd gwahanol iawn i Gesar. Wrth gyhoeddi hynny roedd yr eglwys Gristnogol yn tystio bod yr efengyl yn efengyl o faddeuant ac o ddechreuadau newydd a llechen lân. Efengyl gras yw'r efengyl – efengyl sy'n cyhoeddi bod y cyfan o Dduw. Roedd hyn yn disodli teyrnasiad Cesar ac roedd goblygiadau hynny yn fwy pellgyrhaeddol na phetai Iesu wedi codi mewn gwrthryfel arfog yn erbyn Rhufain. Mae'n Jiwbilî sydd yn siglo sylfeini teyrnasoedd byd, ac mae 'maniffesto' yn air rhy wan i ddisgrifio dyfodiad teyrnas Jiwbilî.

Er bod yr eglwys mor aml wedi dewis y llwybr tawel ac wedi cyfaddawdu, ni fu erioed amser chwaith pan nad oedd yna broffwydi dewr yn barod i gyhoeddi Jiwbilî a holl oblygiadau hynny i fyd ac i eglwys. Yn y ganrif ddiwethaf, er enghraifft, fe ddaethpwyd i ystyried yr ymgyrch yn erbyn caethwasiaeth yn arwydd grymus o'r efengyl sy'n rhyddhau. Mae'n wir bod hynny wedi golygu brwydr hir a chaled oherwydd bod yr eglwys ei hun ar ochr y meistri ac ymhlith y meistri. Tlodi yw'r gaethwasiaeth newydd a'r cylch o dlodi sy'n cadw miliynau yn gaeth i system a reolir gan gyfoeth y Gogledd a'r Gorllewin. Mewn pentref byd, rydym mor ymwybodol o hynny ag yr oedd Iesu wrth gyhoeddi Jiwbilî i'r caeth a'r gorthrymedig a oedd y tu allan i'r synagog yn Nasareth ac ar y strydoedd yn Jeriwsalem. Methu â dehongli arwyddion yr amserau yw cau ein llygaid a cheisio tawelu cydwybod mewn byd lle mae'r mwyafrif yn gaeth i dlodi, i bwerau sy'n caethiwo ac i gyfundrefnau sydd yn creu rhwygiadau a dioddefaint ar raddfa aruthrol. I'r tlotaf o'r tlodion, mae Banc y Byd a'r IMF (er nad ydynt efallai yn gwybod dim amdanynt) yn atgof o'r hyn a eilw Mair yn y *Magnificat* yn 'ddynion balch eu calon' ac yn 'gyfoethogion'. Os yw'r efengyl yn efengyl o gwbl, mae'n efengyl i fyd fel hwn – ac i bob un sy'n byw mewn byd fel hwn. Y deyrnas, ac nid yr eglwys, sy'n cael sylw mwyaf Duw. Yn ôl N T Wright, mae'n bryd mynd yn ôl i Nasareth ac ymlaen mewn gobaith i godi'r arwydd sy'n sôn am ryddid a Jiwbilî.

Daeth yr awr

Mae *Jiwbilî 2000* yn ymgyrch iawn ar yr amser iawn. Mae ar bob person yn y Byd Tlawd ddyled o £250 (mwy na chyflog blwyddyn i'r rhai sydd â gwaith) oherwydd am bob £1 y mae gwledydd cyfoethog y byd yn ei rhoi mewn cymorth, mae'r gwledydd hynny yn talu £3 yn ôl (rhai gwledydd gymaint â £9) mewn llogau ôl-ddyled! Mae miliynau o blant, rhieni a henoed yn gaeth i dlodi nad ydynt yn gyfrifol amdano ac maent yn cael eu cosbi oherwydd eu tlodi. Maent yn gaeth i ddyled, sydd yn ffordd arall o ddweud eu bod yn gaethweision i'r rhai a roddodd fenthyg arian iddynt a'r rhai sy'n derbyn llog enfawr ar y benthyciadadau hynny. Mae'n fwy cymhleth ac yn fwy anghyfiawn na hynny hyd yn oed. Mae'r cryf a'r cyfoethog a roddodd fenthyg yr arian i'r tlawd yn y lle cyntaf yn elwa ac yn elwa ganwaith ar draul y tlodion hynny. Mae'n angyfiawnder ar raddfa aruthrol o fawr. Mae ar wledydd Canolbarth America, er enghraifft, ddyled o bedwar can biliwn o bunnoedd i bedair gwlad gyfoethocaf y byd. Fe'i denwyd i fenthyca â thelerau oedd yn ymddangos yn hael: prynu arfau effeithiol a dibynadwy y Gorllewin yn dâl am fenthyciad. Mae'n anfoesoldeb a gormes ar raddfa aruthrol. Wrth gwrs, mae'r llogau ar y dyledion yn mynd yn fwy ac yn fwy. Mae rhai gwledydd eisoes wedi talu bedair gwaith yn fwy na'r benthyciad gwreiddiol, ond mae'r ddyled yn dal i gynyddu. Fe gododd *Comic Relief* chwe miliwn ar hugain o bunnoedd yn 1997. Ond mae gwledydd Affrica yn talu chwe miliwn ar hugain o bunnoedd mewn dyledion bob dydd. Ffigurau yw'r rhain. Sôn, fodd bynnag, am fywydau a chymunedau yr ydym ac roedd Adroddiad y Cenhedloedd Unedig ar ddatblygiad dynoliaeth yn amcangyfrif y byddai dileu'r ddyled i wledydd tlotaf y byd wedi achub bywyd un miliwn ar hugain o blant erbyn y flwyddyn 2000! Bu i fwyafrif y plant hynny farw cyn bod yn bedair oed o achos tlodi, diffyg maeth ac afiechydon. Ffaith arall syfrdanol yw bod 95% o'r dyledion i Brydain yn deillio o fenthyciadau i hybu masnach Brydeinig ac, yn arbennig, y fasnach arfau.

Gobaith

Nodyn gobeithiol ac addas iawn ar drothwy Nadolig 1999 oedd y cyhoeddiad gan Lywodraeth Prydain ei bod am ddileu'r ddyled i rai o wledydd tlota'r byd. Y gobaith yw y bydd llawer mwy o wledydd wedi dilyn arweiniad Prydain erbyn y bydd y gyfrol hon wedi ymddangos, ac y bydd ymateb Uwchgynhadledd yr G8 yn Japan ym mis Gorffennaf yn hollbwysig – erbyn hyn mae dydd Sul, 23 Gorffennaf, yn cael ei adnabod fel 'Diwrnod Dyfarniad y Ddyled'. (Dyma'r sefyllfa yn Ebrill 2000. Mae pob un o wledydd yr G7 (sef gwledydd cyfoethocaf y byd) wedi dilyn America a Phrydain ac wedi addo dileu'r ddyled 100%. Ond mae pob gwlad yn diffinio 100% yn wahanol, ac mae'r 100% hwnnw wedi ei gyfyngu i rai gwledydd yn unig. Dileu rhannol ydyw felly). Nid yw Banc y Byd a'r IMF yn barod i ymrwymo i'r dileu. Mac'r scfyllfa, felly, yn gymhleth ond yn obeithiol. Mae'r sylwebyddion ar Gynhadledd Japan yn synhwyro mai llugoer yw'r ymateb; ac er bod Japan ei hun bellach wedi cefnogi'r ymgyrch fe wyddom erbyn hyn fod y Gynhadledd wedi methu'n drychinebus i roi arweiniad cadarn. Ychydig iawn o'r dyledion a addawyd eu dileu yn 1999 sydd wedi cael eu dileu. O'r 260 biliwn o ddoleri o ddyledion gan wledydd tlota'r byd, dim ond 11.9 biliwn a ddilewyd hyd yma, a'r cyfan a wnaeth y Gynhadledd oedd addo gwneud yn well ar gyfer y dyfodol. Fel y dywedodd Adrian Lovett o Ymgyrch Jiwbilî, '*Petai 19,000 o blant yn marw yn **ddyddiol** o effeithiau newyn ar strydoedd Tokyo, Efrog Newydd neu Llundain – fel y maent yn y gwledydd tlawd – nid addo gwneud yn well yfory y buasem, ond gweithredu heddiw ac ar frys.*' Fe fydd yn rhaid i'r ymgyrchu barhau.

Mae'r cyhoeddiad hefyd yn dystiolaeth i rym llais y bobl pan fo'r bobl wedi cael eu hysbrydoli gan weledigaeth glir. Y newyddion da yw bod ymgyrch *Jiwbilî 2000* wedi llwyddo tu hwnt i bob gobaith ac er bod gwaith mawr ar ôl i'w gyflawni, mae neges Iesu yn Nasareth wedi rhoi neges ei deyrnas i'r holl fyd. Daeth, a dyfynnu term Beiblaidd a ddefnyddiwyd am ddyfodiad Iesu ei hun, yng 'nghyflawnder yr amser'. Mae llwyddiant yr ymgyrch yn brawf pellach fod y deyrnas yn fwy na'r eglwys, ac yn brawf hefyd fod gan y ffydd Iddewig-Gristnogol weledigaeth eang a chyflawn i'w chyflwyno i'n byd. Bai yr eglwys ei hun yw ei bod wedi bodloni ar rywbeth llawer iawn llai am ganrifoedd lawer. Mae troad y milflwyddiant wedi creu cynnwrf.

Y proffwyd mawr

Os nad ydym yn sylweddoli bod Datganiad Nasareth yn gwbl berthnasol i'r byd yn y flwyddyn 2000, yna go brin ein bod wedi cymryd teyrnas Dduw o ddifrif. Os ydym am geisio gwneud y Datganiad yn fwy ysbrydol, yna rydym yn diwreiddio Iesu o'i gefndir a'i feddwl Iddewig ac yn ei ddieithrio o'r Gair. Os nad yw'r eglwysi yn gweld bod ymgyrch *Jiwbilî 2000* yng nghanol eu cenhadaeth a'u tystiolaeth, yna rydym wedi gwneud ein Gwaredwr yn ŵr o syniadau ac nid o fywyd; yn ŵr o siarad ac nid o weithredu; yn ŵr o freuddwydion ac nid o weledigaeth; yn ŵr nefolaidd ac nid yn ŵr â'i draed ar y ddaear. Lle oedd Nasareth, a datganiad o fwriad a wireddwyd oedd y datganiad. Methiant affwysol yr eglwysi yn aml yw nad ydynt yn gweld eu ffydd fel rhywbeth fawr mwy na chadw'r achos i fynd, cadw'r drws ar agor, a glastwreiddio'r ffydd Gristnogol a'i gwneud yn ddiddrwg ddidda. Mae lle i ofni mai unig agenda llawer eglwys yw cael un neu ddau yn fwy i'r addoli y Sul nesaf (os hynny) neu o leiaf gadw pethau i fynd heb golli llawer – agenda sydd wedi ei galw yn 'agenda clwb henoed'. Ond beth yw agenda eglwys? Dyna gwestiwn Nasareth. Yn y chwe degau a'r saith degau honnid bod sylw'r eglwys wedi troi o edrych arni ei hun i edrych ar y byd. Dyfynnwyd yn aml eiriau William Temple fod yr eglwys yn bod, nid er ei mwyn ei hun, ond er mwyn y byd. Gwadwyd yr honiad yr un mor aml gan yr uniongred ceidwadol: nid er mwyn y byd y mae'r eglwys yn bod, ond er gogoniant Crist. Crist, nid y byd, sy'n gosod agenda yr eglwys. Mae'r feirniadaeth yn ddigon teg ond yn gwbl gamarweiniol hefyd. Mae'r ymdrech i wahaniaethu rhwng 'er mwyn Crist' ac 'er mwyn y byd' yn jargon crefyddol ffals ac mae Datganiad Nasareth yn dweud rhywbeth cwbl wahanol: mae'r eglwys yn bod i gyhoeddi'r deyrnas a'i byw. Yng nghanol y deyrnas honno y mae Iesu yn dathlu Jiwbilî. Nid oes yna Grist bach preifat i'w ddyrchafu.

Soniwyd yn gynharach am weledigaeth. Geiriau sydd wedi cael eu dyfynnu hyd at alar mewn cylchoedd crefyddol yw'r geiriau, 'Lle na cheir gweledigaeth, bydd y bobl ar chwâl' (Diarhebion 29, 18). Cyn i Iesu gael ei eni, roedd yr Iddewon yn anobeithio am nad oedd llais proffwyd wedi ei glywed ers canrifoedd. Proffwyd oedd Ioan Fedyddiwr a gyhoeddodd fod un mwy nag ef i'w ddilyn. A'r peth cyntaf bron a wnaeth 'yr un mwy' hwnnw, sef Iesu, oedd dyfynnu proffwyd (Marc 1, 2). Efallai nad oes dynion mor fawr wedi cael eu hanwybyddu mor llwyr ag y cafodd y proffwydi, ac mae ar y Cristion a'r Iddew angen mawr i fynd yn ôl at y dynion rhyfeddol hyn a oedd, ar sawl cyfrif, ymhell o flaen eu hoes. Ni all y Cristion ymateb i Iesu heb fod wedi rhyfeddu at fawredd y proffwydi hyn, ac nid yw'r eglwys wedi rhoi hanner digon o sylw i'w dylanwad ar Iesu. Mae'r eglwys wedi bod yn weddol barod i'w dyfynnu ond wedi bod yn llai parod i gydnabod bod eu hysbryd wedi treiddio mor ddwfn i neges ganolog y Beibl. Ac ni all yr Iddewon honni eu bod yn bobl Dduw chwaith oni bai eu bod yn rhoi llawer mwy o barch a lle i'w proffwydi mwyaf. Mae'r proffwydi yn ddraenen yn ystlys yr Iddew a'r Cristion – y naill fel y llall. Mae angen egluro hynny.

Iesu'r Proffwyd

Tra bod llawer o Gristnogion digon cydwybodol yn ystyried yr Hen Destament yn eilradd i'r Testament Newydd ('Duw y Testament Newydd yw fy Nuw i, nid Duw yr Hen Destament' – dyna'r honiad!), mae Cristnogion eraill yn ystyried mai gwerth mwyaf yr Hen yw ei fod yn ein paratoi ar gyfer y Newydd ('Does dim gwerth i mi yn yr Hen oni bai am y Newydd' – dyna'r honiad arall!). Mae'n rhaid herio'r ddwy agwedd. Un Testament – cyfamod – sydd ac fe ddylem sôn, nid yn gymaint am yr Hen a'r Newydd ond am Ran 1 a Rhan 2. Yn ganolog yn y Testament Cyfan hwn, mae'r proffwydi. Mae'n wir dweud bod geiriau rhai ohonynt yn cynnwys barddoniaeth fwya'r byd. Mae yr un mor wir dweud nad oes un grefydd arall nac un gwareiddiad arall wedi codi dynion mor fawr â'r rhain. Yn fwy na hynny, mae eu gweledigaeth yn oesol ac, fel y dywedwyd eisoes, eu dylanwad yn fawr ar Iesu (yn wir y dylanwad mwyaf), ond hyd yn oed pe na byddai Iesu erioed wedi byw, fe fyddai cyfraniad y proffwydi hyn i wareiddiad ac i fywyd y byd wedi bod yn enfawr. Iesu yw'r mwyaf ohonynt ac mae angen pwysleisio hynny hefyd.

Yn aml iawn fe honna rhai Cristnogion a mynnu bod angen credu mwy am Iesu na'i fod yn ddyn da neu yn broffwyd. Ond mae gwahaniaeth mawr rhwng bod yn ddyn da a bod yn broffwyd, a phetai'r rhai sy'n cael anhawster i gredu rhai pethau am Iesu yn credu ynddo fel proffwyd yn unig, yna byddent wedi dod yn agos iawn i'r deyrnas. 'Nid wyt ymhell oddi wrth Deyrnas Dduw', meddai Iesu wrth un o'r Iddewon, (Marc 12, 34). Mae un hanes yn Efengyl Ioan am ddyn dall yn cael ei olwg wrth ddod wyneb yn wyneb â Iesu. Nid yw'n medru dweud fawr ddim am Iesu – mae'r profiad y tu hwnt i eiriau ac mae'r adnabod yn anodd ei fynegi, ond fe ddywed, 'Proffwyd yw ef' (Ioan 9, 17). A dyma, yn wir, y peth mwyaf y mae'n ei ddweud amdano. Nid yw'n gallu dweud mwy na hynny. Yn nes ymlaen mae'n dweud, 'Un peth a wn i – roeddwn i'n ddall ac yn awr rwy'n gweld' ac mae Cristnogion ar y cyfan wedi dyfynnu'r geiriau hyn fel uchafbwynt y digwyddiad. Ond yr uchafbwynt oedd adnabod Iesu fel proffwyd. Petai Cristnogion heddiw yn sylweddoli mai drwy'r eglwys y mae llais proffwydol Duw i'w glywed yn y byd, yna fe fyddai hynny ynddo'i hun yn ddigon i roi Datganiad Nasareth yng nghanol eu bywyd.

Yn yr un modd, petai'r Iddewon hwythau yn rhoi mwy o barch i'w proffwydi fe fyddai hynny'n dod â hwythau hefyd yn nes at galon y ffydd Gristnogol. Cenedl sy'n parhau yn fyddar i alwadau ei phroffwydi yw'r Iddewon. Cyhuddodd Amos Oz, awdur Iddewig ac un o sylfaenwyr y mudiad 'Heddwch yn awr', ei wlad ei hun a'i lywodraeth ei hun o erlid ei phroffwydi ei hun. Yn ôl Amos Oz, pan fyddent yn croesawu'r ymwelwyr i ddinas Jeriwsalem, sôn am Dafydd a Solomon a wnaent; prin bod sôn am Eseia; ond roedd mwy o angen Eseia arnynt nag erioed. Cyfeirio yr oedd at y ffaith fod cyfiawnder a rhyddid wedi mynd yn isel ar agenda'r genedl Iddewig erbyn hyn. Rhoddir mwy o sylw i'w hawdurdod a'u rhyddid eu hunain nag i ryddid Palestiniaid a ffoaduriaid, medd ef. Geiriau dewr gan Iddew, ond geiriau sydd yn nhraddodiad dewrder y proffwydi. Beth yw cyfoeth a chyfraniad mwyaf yr Iddew i grefydd ein hoes? Nid y Deml (mae gan grefyddau eraill demlau yr un mor ysblennydd) ac mae Mosg yr Al Asqa wedi meddiannu tirlun Jeriwsalem. Ai ei brifddinas ynteu? Go brin, oherwydd mae honno mor rhanedig ag erioed. Ei gyfoeth mwyaf yw ei dystiolaeth broffwydol, a thrwy ei phroffwydi mwyaf y mae Iddewiaeth wedi cyrraedd dyfnder o ysbrydolrwydd a gweledigaeth na fu ei debyg erioed. A'r mwyaf a'r olaf o'r proffwydi yw Iesu.

Fe gafodd Esgob Rhydychen ei feirniadu yn ystod Pasg 2000 am iddo awgrymu y gallai Cristnogion sy'n ei chael yn anodd derbyn holl wirioneddau'r ffydd Gristnogol fynd i addoli at yr Iddewon er mwyn addoli yr un Duw, ond gan gredu llai amdano! O'i roi fel yna, mae'n swnio'n fargen! Fel Cadeirydd Cyngor Perthynas rhwng Iddewon a Christnogion, roedd yr Esgob, mewn erthygl ddysgedig a boblogeiddiwyd, yn ceisio codi pontydd addoli i'n hatgoffa fod yr Iddew a'r Cristion yn medru cydaddoli. Yn ymarferol, wrth gwrs, nid yw'n hawdd dod yn Iddew ac mae prinder Iddewon a synagogau yng Nghymru yn gwneud yr awgrym yn un hurt. Ond mae yma wirionedd i'w bwysleisio. Nid yw'r drws i addoliad yn cael ei gau ac nid oes gwahardd ar le yng nghymdeithas yr eglwys i'r rhai sy'n barod i gydnabod mawredd proffwydol Iesu, ond na wyddant ar hyn o bryd beth arall i'w ddweud amdano. Mae'r gŵr yn Efengyl Ioan a 'oedd gynt yn ddall, ond yn gweld yn awr', wedi gofalu am hynny. Efallai yn wir fod y dyfyniad hwn o emyn Pantyfedwen yn rhoi'r hawl i Iddew ac Undodwr a Christion gydaddoli. Cyn synnu at agwedd lac Esgob Rhydychen, mae'n rhaid cofio fod ei awgrym yn cynnwys cyfle i Iddewon ddod i addoli gyda'r Cristnogion hefyd. Mae digon o resymau i ddadlau y dylai hynny fod yn bosibl, ac nid y lleiaf ohonynt yw proffwyd Nasareth a'i Ddatganiad o Jiwbilî.

Iddew sy'n darlithio yn y Brifysgol yn Llanbedr Pont Steffan yw Daniel Cohn-Sherbock ac ef a ddywedodd yn ei *Christian and Jewish Dialogue* (tud. 262) y gall Pobl Dduw a'u brodyr a'u chwiorydd Cristnogol uno yn y frwydr hon i ymgyrchu dros y dirmygedig a'r gorthrymedig, i rannu neges y litwrgi Iddewig ac i greu gwell byd. 'Deled dy deyrnas...'

Dim Jiwbilî

Un o'r ymgyrchoedd honedig fyd-eang i ddathlu mil-flwyddiant yw'r ymgyrch i gyflwyno'r ffilm, *Iesu*, i gartrefi'r byd; a honnir bod mwy wedi gweld y ffilm nag unrhyw ffilm arall erioed. Ffilm Americanaidd ydyw a wnaethpwyd ddiwedd y saith degau (1979 – *Inspirational Films*) – ond ar gyfer y flwyddyn 2000 y mae wedi cael y teiltl newydd, *Jesus – Man for the Millennium*. Mae'r ffilm hefyd wedi cael ei chyfieithu i gannoedd o ieithoedd drwy'r byd, gan gynnwys y Gymraeg. Mae'n ffilm sydd wedi dod â chysur i filoedd o bobl ac wedi gwneud erchylltra y croeshoeliad yn fyw i lawer. Mae brwdfrydedd mawr ynglŷn â'r ffilm ac mae eglwysi na fyddent fel arfer yn gwneud dim ag eglwysi eraill yn eu hardaloedd yn barod i gydweithio am eu bod yn credu bod y ffilm hon yn cyflwyno Iesu'r Testament Newydd i bobl. Fel y gwelir ym mhob ffilm Americanaidd o'r cyfnod hwnnw, mae gwendidau amlwg yn y ffilm. Mae pawb yn dlws ynddi – ar wahân i'r rhai sydd i fod yn hyll – ac mae gwallt gosod Iesu fel petai'n gam ar adegau. Anwybyddir y ffaith mai crynodeb o ddigwyddiadau sydd i'w cael yn yr Efengylau ydyw, ac o anwybyddu hynny, mae'r ffilm wedi ei gorsymleiddio yn ddychrynllyd, hyd at fod yn ddoniol ar adegau. A'i roi mewn ffordd arall, ffilm o gyfieithiad Saesneg o'r Efengylau ydyw ac nid ffilm sydd am fentro mynd at y digwyddiadau y tu ôl i'r adroddiad. Ond y gwendid mwyaf un yw nad yw'r ffilm yn cynnwys Maniffesto Nasareth. Mae Iesu yn cyrraedd Nasareth – ac yn rhoi gwên hyfryd i blentyn bach! Ond dim gair am bregeth chwyldro Duw sy'n golygu llawer mwy na gwenu yn annwyl ar blentyn. Mewn geiriau eraill, penderfynwyd gan rywun o *Inspirational Films* nad oedd y digwyddiad hwnnw'n hanfodol i galon neges Iesu. Mae'n wir na ellir cynnwys popeth, (er i'r comiwnydd Passolini wneud hynny yn ei ffilm ddu a gwyn ar Efengyl Mathew), ond mae dewis hepgor ei bregeth gyntaf yn Nasareth yn gam dychrynllyd â Iesu ei hun. Nid yw'n rhyfedd fod y ffilm yn rhoi darlun sentimental a neis neis o Iesu. Iesu 'heb ddur yn ei waed', chwedl cân Dafydd Iwan. Ac, yn bendant, Iesu nad yw'n ddigon dewr a chwyldroadol i gyhoeddi Jiwbilî. Iesu paned o de.

PENNOD 4

Lle i bawb, nid pawb yn ei le

Rhagrith mwyaf yr eglwys yw sôn am gymod ac undod a chwalu muriau. Mae nifer fawr yn ymwrthod â bod yn rhan o eglwys sydd yn dal i arddel gwahaniaethau sydd yn chwerthinllyd o amherthnasol. Does ryfedd bod Anghyd-ffurfiaeth – a aeth dros ben llestri yn y bedwaredd ganrif ar bymtheg – yn dadfeilio. Efallai fod Iesu sydd mor gynhwysol yn sylweddoli fod ganddo bethau gwell i'w gwneud mewn mannau eraill.

Mae angen annog pobl i ddod gartref... oherwydd mae
Cristnogaeth yn ddigon mawr i'w dal hwy pwy bynnag ydynt.

– Richard Holloway, *Dancing on the Edge*

Y mae Actau 10 yn ddameg i'n cyfnod. Stori sydd yn y bennod
am apostol a chymuned oedd yn barod i feddwl a gweithredu tu
allan i'r bocs. Daeth hyn o ddealltwriaeth sylfaenol o Dduw fel
Duw na ellir ei gaethiwo, a Duw sy'n mynnu ymhyfrydu mewn
malu bocsus. Mae argyfwng y Gorllewin yn gofyn am feddwl
radical o'r fath – meddwl tu allan i'r bocs, gan ddibynnu ar y
Duw sydd yn ein harwain i dir newydd. Tir agored efallai, ond
tir newydd.

– Mike Riddell, *Threshold of the Future*

Lord, Holy Spirit,
You blow like the wind in a thousand paddocks,
Inside and outside the fences,
You blow where you wish to blow.

– James K. Baxter, bardd o Seland Newydd, *Collected Poems*

Gwireddu'r freuddwyd Iddewig o fod yn oleuni i'r holl fyd wnaeth Iesu. Bod yn gynhwysol. Roedd y proffwyd Eseia wedi bod yn hiraethu wyth canrif cyn Crist am gael gweld y cenhedloedd yn dylifo i 'fynydd tŷ yr Arglwydd' (Eseia 2). Y Cenhedloedd Unedig yn cyfarfod yn Jeriwsalem oedd ystyr hynny i Eseia ac mae'n ddiddorol bod ei eiriau heddiw i'w gweld ar fur cyntedd Canolfan y Cenhedloedd Unedig yn Efrog Newydd. Rydym yn gwybod yn well na'r un genhedlaeth o'r blaen ein bod yn byw mewn un byd. Dyna pam mai'r un dasg allweddol sydd gan yr eglwys i'w dysgu i'w haelodau yng Nghymru ag sydd gan bob gwlad arall, sef ein bod yn perthyn i eglwys fyd-eang. Os na lwydda i wneud hynny, yna crebachu mewn cornel fydd dyfodol yr eglwys. Y tristwch yw bod hynny wedi digwydd yn barod, ac mae'n rhaid edrych yn fwy manwl ar hynny. Crebachu mewn corneli mae'r eglwysi. Ond, yn gyntaf, mae'n rhaid egluro'r gair 'cynhwysol'.

I ni yng Nghymru, mae blas y Cynulliad ar y gair, oherwydd drwy'r Cynulliad a'r wleidyddiaeth newydd y mae'r gair wedi dod yn boblogaidd yng Nghymru. Mae'n debyg mai 'gwleidyddiaeth yn rhydd o'r hen elfennau o elyniaeth, gwrthdaro a thanseilio' yw ei ystyr; gwleidyddiaeth sydd am gynnwys pob lliw gwleidyddol yn hytrach na gwleidyddiaeth ddieithrio. Gwleidyddiaeth gwrando a chodi pontydd ydyw ac nid gwleidyddiaeth beirniadu a chodi muriau. Amser a ddengys a yw gwleidyddiaeth o'r fath yn bosibl mewn byd fel hwn. I rai pobl, wrth gwrs, nid yw 'cynhwysol' yn ddim ond gair arall am gyfaddawdu, rhoi lle i bawb a llais i unrhyw un; a chanlyniad hynny yw colli ffiniau a therfynau, colli awdurdod a pheryglu egwyddorion a fu'n ganolog. I'r beirniaid hyn gair ôl-fodernaidd yw, ac mae hynny'n golygu erydu pellach ar ganllawiau a safonau. I lawer iawn o Gristnogion felly, gelyn a bygythiad i'r ffydd yw unrhyw awgrym o fod yn 'gynhwysol', cyfaddawdu pellach drwy ddefnyddio jargon yr oes. Mae gwir grefydd, meddent, yn diogelu ac yn amddiffyn yr hyn sy'n ddigyfnewid.

Iddew cynhwysol oedd Iesu. I rai fe fydd y gosodiad yn swnio'n wrtheb, oherwydd y darlun o'r Iddew yn rhoi pwys mawr ar arwahanrwydd neu, a defnyddio'r dywediad, ar fod yn 'etholedig rai' yw'r un cyfarwydd. Mae hyn, wrth gwrs, yn gorsymleiddio, yn arbennig wrth gofio natur seciwlar ac amrywiol Iddewiaeth heddiw. Sôn yr ydym am yr Iddew Uniongred, a dyna'r darlun cyfarwydd o'r Iddew o hyd. Y cyhuddiad traddodiadol yn ei erbyn yw ei fod yn haerllug, gan honni fod yr Iddewon yn bobl Dduw, ac i amryw dyna pam yr erlidiwyd yr Iddewon a'u galw yn esgymun. Agweddau o'r fath ar y naill ochr a'r llall sydd wedi creu gwrthdaro yn y gorffennol, ac yn sgil hynny y daeth 'cenedlaetholdeb' yn air i'w ofni ac i'w amau, ac y daeth 'hilyddiaeth' yn air cyffredin mewn ffordd na fu erioed o'r blaen. Nid yw'r eirfa yn ddieithr yng Nghymru chwaith a chlywyd y gair 'eithafwyr' yn cael ei daflu at rai fu'n ymgyrchu i warchod hunaniaeth Cymru. Beth bynnag am agweddau honedig Iddewig, a beth bynnag am y rhagfarnau yn eu herbyn, y gwir yw mai Duw cynhwysol yw Duw'r Iddew, a rhan o wirioneddau canolog y ffydd Gristnogol yw mai Iesu yw'r Iddew mwyaf cynhwysol a fu erioed. Fe'i croeshoeliwyd am fod yn rhy gynhwysol. Petai wedi bod yn llai cynhwysol, ni fuasai yn Waredwr y Byd.

Mae ganddo'r holl fyd yn ei law

Mae'r cyflwyniad i'r Beibl, yn arbennig symffoni rhyfeddol penodau cyntaf Genesis, yn gefndir i'r Gair cyfan ac yn sôn am berthynas Duw â'r ddynoliaeth. Creu dyn 'ar ei ddelw ei Hun' a wnaeth Duw a chreu perthynas annileadwy rhwng y Creawdwr a'r ddynoliaeth. Mae'r cyfamod â Noa yn cadarnhau hyn: 'cyfamod... â phopeth byw... tros oesoedd di-rif' (Genesis 9, 12). Pan ddywedwyd wrth Abraham, 'Ac ynot ti y bendithir holl dylwythau y ddaear' (Genesis 12, 3), roedd yn ddatganiad eto o fwriad ac ewyllys Duw ar gyfer y ddynoliaeth. Mae hanes cenedl yr Iddewon ar ôl hynny yn hanes o golli'r weledigaeth honno ac o anghofio'r cyfamod. Eto mae Duw wedi mynnu dal gafael arnynt ac wedi parhau i ddisgwyl iddynt fod yn gyfrwng bendith i'r holl ddynoliaeth, ac nid iddynt hwy eu hunain yn unig. Canlyniad y dirywiad oedd mynd yn fewnblyg, yn hunan-gyfiawn a hawlio statws iddynt eu hunain ar sail y traddodiad hwnnw. Ond nid statws a roddodd Duw iddynt, ond bendith a chyfrifoldeb. Y gobaith o hyd oedd adfer y cyfamod a derbyn y cyfrifoldeb a'r fendith. Dyma oedd neges y proffwydi yn eu tro: galw'r Iddewon alltud a gwasgaredig yn ôl i'r Cyfamod. 'Lluniais di a'th roi yn gyfamod pobl,' meddai un proffwyd, a hynny yng nghanol y chwalfa fawr '... yn oleuni cehedloedd' (Eseia 42, 6). Mae proffwyd arall ychydig yn ddiweddarch yn ailadrodd hynny, er ei fod ar y pryd yn alltud a'i wlad wedi ei meddiannu'n llwyr gan elynion: 'Fe ddaw'r cenhedloedd at dy oleuni' (Eseia 60, 3). Mae'r Gair, felly, o'r dechrau yn sôn am Dduw cyfanfydol. Tristwch ac argyfwng ffydd yr Iddewon oedd eu bod wedi colli golwg ar hynny. Eto – ac yn yr 'eto' y mae curiad calon y Gair – ni chollwyd golwg yn llwyr ar y weledigaeth eang, hyd yn oed yn yr argyfwng gwaethaf, a'r proffwydi fu'n bennaf gyfrifol am hynny. Colli golwg ar Dduw, Greawdwr ac Achubydd, a wnaeth y mwyafrif ond dal gafael yn dynn wnaeth y proffwydi. Dyna pam mae'r cyfnod rhwng y ddau Destament yn gyfnod o argyfwng mawr, gan i'r Iddewon fynd yn amddiffynnol a gwarchodol ac i'w crefydd grebachu'n negyddol ac ofnus nes mynd yn ddim ond gwarchodaeth. Mae'n hawdd iawn mynd yn feirniadol o agweddau cul yr Iddew, ond mae'n werth cofio bod cyfnod o argyfwng yn gwneud i bob cenedl ac i bob crefydd droi yn amddiffynnol ac yn fewnblyg. Dyna pam mae angen cydymdeimlad â hwy oherwydd, wedi'r cyfan, mae hynny wedi digwydd yng Nghymru ers degawdau lawer bellach: aeth aelodau eglwysig yn ofnus, yn bryderus ac yn amddiffynnol rhag colli hyd yn oed mwy na'r hyn sydd wedi ei golli eisoes. Crefydd cadw sydd gennym.

Argyfwng a chroesffordd

Yr awdurdod mwyaf ar yr Hen Destament yn ein dyddiau ni yw gŵr o'r enw Walter Brueggemann – gŵr y mae myfyrio ar yr Hen Destament nid yn unig yn waith academaidd iddo, ond hefyd wedi rhoi llais proffwydol iddo. Mae'n honni mai argyfwng mawr y chweched ganrif cyn Crist, a'r flwyddyn 587 yn arbennig, yw canol yr Hen Destament. Concrwyd Jeriwsalem gan Babilon, dinistriwyd y deml a dechreuwyd ar gyfnod yr alltudio a'r gwasgaru mawr yn hanes yr Iddewon. Ar un wedd roedd yn brofiad o ddinistrio llwyr, o ddadfeilio ac o ddiwedd cyfnod. Nid annhebyg, ond llai dramatig wrth gwrs, fu'r chwalfa ar fywyd y genedl Gymreig, a'r chwalfa honno hefyd yn golygu colli cyfoeth y bywyd ysbrydol. Pwysleisia Brueggemann mai'r union argyfwng hwn fu'n groesffordd newydd o obaith ac o barhad y gymuned. Roedd yr argyfwng yn cynnwys chwalfa a hadau gobaith. Mae'r chwalfa yn hen gyfarwydd i ni yng Nghymru gan i ni ei thrafod yn ddiddiwedd, ond heb sylweddoli y gall chwalfa hefyd fod yn gyfnod gobaith. Diffyg dyfnder ysbrydol yw achos y methiant i sylweddoli hynny. Gall argyfwng arwain at golli neu at greu. Mae'r argyfwng yn un mawr yng Nghymru – ond yr argyfwng mwyaf yw y gall cred y Cristnogion fod yn rhy arwynebol i wynebu argyfwng mor fawr. Fe all hyd yn oed y gri, 'Rhaid i ni weddïo mwy', fod yn ystrydebol, heb sôn am fod yn arwynebol. Yn ddiystyr hyd yn oed.

Mae'n anodd i genhedlaeth iau ddeall hiraeth a siom pobl a welodd gyfnod pan oedd yr eglwysi yn ddylanwad byw ar deuluoedd a chymdeithas. Mae'n anodd iddynt ddeall pryder cenhedlaeth hŷn sy'n gweld ansawdd bywyd wedi dirywio ac sy'n galaru o weld cenhedlaeth iau yn dibrisio yr hyn oedd yn gysegredig iddynt hwy. Mae'r profiad yn un gwirioneddol hunllefus i ffyddloniaid yr eglwysi ac nid oes dim yn waeth iddynt na chlywed ar y cyfryngau ddadansoddi parhaus ar gyflwr crefydd yng Nghymru, er bod digon o le i amau bod rhai crefyddwyr yn cael cysur mawr o drafod yr argyfwng yn barhaus. ('Y cysur yw ei bod yr un fath ym mhob man', yw'r clasur!) Nid oes dim gwaeth chwaith na chlywed academyddion, haneswyr a gwybodusion eraill yn barod iawn i ddweud beth ddylai'r eglwysi ei wneud, ond heb fod ganddynt hwy unrhyw ymrwymiad i'r eglwys. Wrth gwrs, mae rhagrith a chulni'r eglwysi wedi rhoi digon o le i genhedlaeth iau – un arwynebol ac anwybodus iawn mewn rhai pethau – weld yr eglwysi yn fawr mwy na thestun dychan a sen, yn *boring* ac yn pathetig. Mewn cyfnod o chwalfa mor fawr a newidiadau mor ysgytwol, nid oes dim amheuaeth nad yw'r eglwys wedi bod yn ddealladwy styfnig, yn fewnblyg ac yn amddiffynnol. Heb yn wybod iddi ei hun, mae wedi bod yn faen tramgwydd i'r efengyl drwy fod mor ddychrynllyd o gul. Mae wedi creu ei hargyfwng ei hun.

Pawb – neu neb

Adfer y weledigaeth ac adnewyddu'r cyfamod a wnaeth Iesu a gwneud hynny yn ei berson ac yn ei fywyd ei hun. Fe ddaeth i fod yn arwydd ac yn ddatguddiad o'r Duw cyfanfydol a chynhwysol. Yn naturiol roedd hyn yn achosi gwrthdaro â'i gydgrefyddwyr. Ac y mae wedi parhau i wneud hynny. Yn ei chyfrol *The making of the Creeds* y mae Frances Young yn dweud (tud. 100) fod Cristnogaeth yn cynnwys ynddi ei hun hadau'r feirniadaeth broffwydol o'i chulni a'i anoddefgarwch ei hun. Mae Iesu yn croesi ffiniau ac nid oedd dim cyfyngu ar ei weinidogaeth, a chroesawai'r gwahangleifion, y publicanod, y puteinaid, y Samariaid a hyd yn oed y troseddwr ar y groes! Nid agweddau newydd a chwyldroadol oedd y rhain, ond yn hytrach wireddu a chyflawni yr hyn a gollwyd. Nid dyn da yn gwneud gweithredoedd caredig i bawb oedd Iesu, ond dyn yn cyflawni rhywbeth llawer mwy ysgytwol a phellgyrhaeddol. Mae'r cyfan yn hollgynhwysol. Sôn am Dduw sy'n Greawdwr pob peth y mae Iesu, ac os yw Duw yn Greawdwr pob peth, yna mae hefyd yn cynnwys pob peth o fewn ei gariad. Mae hynny'n golygu pawb, yn ddiwahân. Nid oes dim ffiniau i'w gariad, neu ni fyddai yn Dduw. Oni bai bod y pwyslais yma yn ganolog i Iesu, fe fyddai ei fudiad wedi parhau i fod yn fudiad oddi mewn i'r grefydd Iddewig yn unig, ac nid damwain yw'r ffaith fod yna symudiad amlwg yn y Gair o Fethlehem i Jeriwsalem ac o Jeriwsalem i Rufain. Symudiad croesi ffiniau ydyw. Ac ymhlyg yn y symudiad hwnnw, mae digwyddiadau'r Esgyniad a'r Pentecost, sef dau ddigwyddiad sy'n egluro'r ffaith nad oes ffiniau lle nac amser, traddodiad na chrefydd a all atal cariad cynhwysol Crist.

Diderfynau

A dyma'r unig ffordd i amgyffred a deall gwreiddiau'r eglwys Gristnogol. Bu dadlau ar ddechrau'r Actau am osod terfyn a rheolau, cyn y gall neb dderbyn efengyl Iesu. Ond nid oedd gobaith i ddadleuon felly ennill. Iddew a alwyd i fod yn apostol i'r Cenhedloedd oedd Paul ac eglwys wedi ei globaleiddio sydd yn Jeriwsalem ar ddydd y Pentecost. Roedd rhaniadau a neilltuo yn fygythiad i'r eglwys o'r dechrau, ond ysbryd Iesu a orchfygodd. Mae trafodaeth a phenderfyniad y Cyngor yn Jeriwsalem (Actau 15) yn garreg filltir hanesyddol yn hanes yr eglwys. Wedi trafodaeth ar ba mor bwysig ydoedd i bawb dderbyn arferion y grefydd Iddewig cyn dod yn Gristnogion, er enghraifft, enwaedu plant, y penderfyniad oedd na ddylid rhoi amodau a gofynion o'r fath ar Gristnogion o gefndir gwahanol. Penderfynwyd ymwrthod ag unrhyw waharddiadau ar efengyl gynhwysol: 'penderfynwyd gan yr Ysbryd Glân a chennym ninnau beidio â gosod arnoch ddim mwy o faich' yw sylw beiddgar yr Actau. (Disgrifiad ardderchog yw un Waldo Williams o'r Ysbryd fel un sydd yn 'gwadu pob terfyn a wnaed.') Fe ellid dweud, fel y gwnaeth un diwinydd, mai Iddew a agorodd y drysau led y pen i bawb oedd Iesu. Fel y cafodd y proffwyd dienw gynt freuddwyd a gweledigaeth o'r cenhedloedd yn dylifo i fynydd Tŷ yr Arglwydd, yn Iesu fe ddaeth y freuddwyd a'r weledigaeth yn wir.

Mae goblygiadau hyn yn aruthrol i Gristnogion ac i'r eglwys yn y flwyddyn 2000. Y tristwch yw nad ydym fel petaem wedi sylweddoli hynny ac rydym yn parhau yn gul ac yn gyfyng iawn ein gweledigaeth. Mae'r culni hwn wedi crebachu bywyd yr eglwysi ac wedi cyfyngu ar yr union neges sydd yn ymestyn gorwelion. Diffyg gorwelion sy'n crebachu crefydd. Rydym fel petaem yn byw rhwng dau destament o hyd.

Undod?

Rhaid dechrau gyda'r sefyllfa yng Ngymru. Mae eglwysi Cymru yn dadfeilio o fewn y muriau enwadol tra bod 92% o'r boblogaeth wedi dieithrio yn llwyr o'r eglwysi hynny. Nid oes angen ystadegau bellach ac nid sôn am ddirywiad a wneir, ond am y machlud! Ac nid oes atal ar fachlud. Nid oes angen proffwyd o fath yn y byd i weld bod y mudiad ecwmenaidd wedi chwythu ei blwc o ran bod yn fudiad i ddod ag eglwysi Cymru i undeb. Fe fydd rhai yn mynnu na fu hynny erioed yn fwriad gan y mudiad. Fe fu cynllun uno'r Pedwar Enwad yn y chwe degau fodd bynnag – ond fe fethodd. Fe fu cynllun cyfamodi rhwng yr eglwysi yn y saith degau, ond ymwrthod â'r cynllun hwnnw wnaeth y Bedyddwyr a'r Annibynwyr gan adael dim ond ychydig o enwadau i gymafodi â'i gilydd; ond ni fu fawr o fywyd yn y cyfamodi hwnnw chwaith. Y bwriad yn wreiddiol oedd cyfamodi tuag at uno, ond ni fu sôn am yr uno wedyn. Mae yna drafodaeth ar hyn o bryd ynghylch ffurfio Eglwys Unedig Cymru, ond yma eto mae'r diffyg brwdfrydedd yn anhygoel. Bu rhai wrthi'n gydwybodol am bum mlynedd yn trafod ac yn creu dogfennau a fyddai'n sail ffurfio yr Eglwys Unedig honno. Cyflwynwyd Dogfen Drafod glir a hwylus i'r eglwysi, ond bu gwrthwynebiad cryf yn barod, gyda Christnogion o wahanol enwadau fel petaent yn mynnu eto fyth fod ffurf a phatrwm eglwysig yn perthyn i hanfodion y ffydd. Mynegwyd safbwyntiau eithafol a diwyro yn *Y Tyst*, papur yr Annibynwyr Cymraeg, ac mae arwyddion cynnar yn *Seren Cymru*, papur y Bedyddwyr, fod anghytuno o fewn yr enwad. I rai Annibynwyr a Bedyddwyr mae awdurdod a sofraniaeth yr eglwys leol mor hanfodol ag yw'r Pab i Babyddiaeth, ac nid yw'r ffaith fod y ddogfen drafod yn rhoi pwyslais mawr ar yr eglwys leol yn eu bodloni. Mae lle i amau bod enwadaeth ar gynnydd. Nid oedd cyhoeddiad tua deugain o weinidogion yr Annibyn-wyr nad oeddynt am fod yn rhan o Eglwys Unedig Cymru (fel oedd y drafodaeth yn dechrau) yn annisgwyl. Mae'n enghraifft drist eto fyth o droi ofn ac enwadaeth yn egwyddor, ac o roi cynnal traddodiad o flaen gwaith a chyfrifoldeb yr eglwys.

Mae'r traddodiadau Catholig ac Anglicanaidd yn brawf pellach o gynnal cyfundrefn enwadol. Mae'r Athro D P Davies yn ei gyfrol, *Against the Tide*, wedi canu cnul y dystiolaeth Anghydffurfiol i bob pwrpas trwy awgrymu mai perthyn i'r traddodiad Catholig-Anglicanaidd y mae'r dyfodol. Y gwir yw, ac fe ŵyr D P Davies hyn cystal â neb, bod y traddodiad hwnnw am gario'r gyfundrefn gyfan i'r dyfodol. Dyma draddodiad sy'n credu bod Esgobyddiaeth yn gwbl angenrheidiol i hanfod eglwys – traddodiad sy'n dal i weld ordeinio merched yn achos ymraniad. (Yn achos Anglicaniaeth am nad yw'r penderfyniad diweddar i ordeinio merched yn rhydd o gyfaddawd, ac yn achos yr Eglwys Gatholig am nad yw ordeinio merched hyd yn oed ar yr agenda.) Dyma draddodiad sydd yn bell ffordd o wahoddiad agored at Fwrdd yr Arglwydd. Dyma dradd-odiad sydd, ar ôl Lambeth yn 1999, wedi dangos yr adwaith mwyaf eithafol i gyfunrhywiaeth drwy rai o egobion eglwysi Anglicanaidd Affrica. Yma yng Nghymru, dyma draddodiad sydd ar hyd y canrifoedd wedi cael ei uniaethu â'r *Church of England*, hyd yn oed ar ôl y datgysylltu. Wrth gwrs mae'r Eglwys Anglicanaidd wedi gwneud cyfraniad aruthrol i fywyd Cristnogol Cymru, o William Morgan i Enid Morgan, ac erbyn hyn mae wedi dechrau cael gwared â'r ddelwedd Seisnig, sefydliadol. Ni fu ei hesgobion erioed mor Gymraeg a Chymreig. Ond brwydr sy'n parhau ydyw, ac mae ffordd bell i fynd. Mae sefyllfa'r Eglwys Gatholig yn fwy clir. Lleiafrif bychan, eithriadol o gydwybodol a brwdfrydig yw'r Cymry Cymraeg ymhlith y Catholigion.

Ar hyd y blynyddoedd, sylwebyddion fu'r eglwys i Gyngor Eglwysi'r Byd a Chyngor Eglwysi Cymru. Bellach mae'n aelod llawn o Cytûn ond go brin bod trwch ei haelodaeth yn ymwybodol o unrhyw berthynas â Christnogion eraill. Cyfundrefnau caeth yw'r enwadau i gyd ac er gwaethaf pob newid agwedd, cyfundrefnau rhanedig hefyd.

Nid yw'r eglwysi efengylaidd a charismataidd ddim gwell. Nid yw uniongrededd wedi sicrhau undeb rhwng Cristnogion a'i gilydd er bod llefarwyr y geidwadaeth grefyddol yn mynnu – tra'n ymwrthod â'r mudiad ecwmenaidd – mai cred yn unig all fod yn sail undod. Mor aml y mae honiadau o uniongrededd wedi arwain at ymrannu o fewn yr eglwysi a ymwahanodd o'r enwadau traddodiadol yn y lle cyntaf! Yn wir, mae lle i gredu bod arweinyddiaeth ac awdurdod yn broblem fawr yn eu plith oherwydd bod uniongrededd fel petai wedi dibynnu llawer iawn ar ddylanwad ac arweinyddiaeth un person sydd fel arfer yn gysylltiedig ag adnewyddiad a llwyddiant. Dyna ddigwyddodd pan oedd grwpiau tai yn troi yn eglwysi, a dyna pam mae'r mudiad hwnnw wedi chwythu ei blwc fel, yn wir, y gwnaeth llawer o symudiadau rhyfeddod ac arwydd, fel Bendith Toronto, a gafodd sylw mawr am ychydig amser ac yna ddiflannu i niwl y nen!

Rhanedig

Mae'r eglwysi yn rhanedig ac nid yw Cytûn bellach yn llwyddo i arwain: mae'n ymddangos nad yw Cytûn yn ddim mwy na 'beth mae'r eglwysi am ei wneud gyda'i gilydd'. Nid yw undeb eglwysig ar yr agenda, ac nid oes bwriad iddo fod. Efallai nad yw'r bennod hon yn rhoi digon o sylw i'r newid agwedd mawr sydd wedi digwydd yn ystod yr ugeinfed ganrif, ac mae angen pwysleisio hynny. Erbyn hyn rydym yn llawer mwy gwaraidd a chwrtais a gofalus wrth ymwneud â'n gilydd fel Cristnogion. Y sylw poblogaidd erbyn hyn yw, 'Flynyddoedd yn ôl, fysa Offeiriad Pabyddol byth wedi dod i gapel, heb sôn am gael cymryd rhan yn y gwasanaeth'. I bawb sy'n cofio cyfnod felly, mae'r newid yn fawr ac yn un er gwell. Rhaid pwysleisio hefyd fod yna enghreifftiau gwiw o gyd-weithio rhwng Cristnogion mewn sawl ardal yng Nghymru.

Ond erbyn hyn rydym mewn cyfnod arall ac wedi dysgu sut i fyw gyda'n gilydd o bell, ond mae'r Iesu cynhwysol yn mynnu ein hatgoffa fod yr efengyl yn llawer mwy na hynny. Nid bod yn neis wrth ein gilydd sy'n mynd i ennill Cymru i Grist. Mae cwestiynau i'w trafod o hyd a rhagfarnau i'w goresgyn. Fel yr awgrymwyd eisoes, mewn cyfnod o drai cyfundrefnol ar grefydd rydym yn awyddus i amddiffyn yr hyn sydd gennym ac yn ofni colli yr hyn sydd gennym. Dyma argyfwng mawr y Mudiad Ecwmenaidd. Gwir ystyr *ecwmene,* wrth gwrs, yw 'y byd crwn, cyfan'. Golyga perthyn i'r Mudiad Ecwmenaidd ein bod yn barod i rannu a gwerthfawrogi holl draddodiadau'r eglwys Gristnogol, gan gredu bod yr amrywiaeth a'r lliw yn rhan bwysig o 'r diwylliant Cristnogol. Y gwahaniaeth mawr erbyn hyn yw ein bod, fel deiliaid Pentref Byd, yn gwerthfawrogi'r gwahaniaethau hyn mewn cysylltiadau hollol newydd ac, yn aml, mae'r gwahaniaethau yn ymddangos yn bitw iawn. Nid oes neb yn ddigon o ffŵl i gredu y byddai dod â'r eglwysi Anghydffurfiol at ei gilydd o angenrheidrwydd yn cryfhau'r dystiolaeth Gristnogol nac yn llwyddo i wneud eglwysi gwan yn fwy effeithiol. Nid dyna sail na sylfaen undod yr eglwys. Yr unig sail i chwilio am yr undod hwnnw yw'r ffaith fod gan Gristnogion Arglwydd cynhwysol sy' n galw ar ei bobl i chwalu muriau er mwyn tystio i'w Gwaredwr. Wedi'r cyfan fe weddïodd Iesu ar i'w ddisgyblion 'fod yn un' (Ioan 17). Os yw traddodiad ac arferion a phatrymau eglwysig yn rhwystro hynny, yna mae'n rhaid iddynt fynd. Dedfryd o farwolaeth ysbrydol fyddai i eglwys roi ei hun o flaen ei Gwaredwr.

Gwastraff amser ac egni bellach yw ceisio uno'r enwadau. Dathlu, derbyn a gwireddu'r undeb a ddylem ni ac nid ei drafod. Os nad yw aelodau'r eglwysi yn sylweddoli bod enwadaeth yn gwbl amherthnasol i waith yr eglwys yn y Gymru gyfoes, yna dylent gydnabod nad newyddion da yr Iesu cynhwysol yw craidd eu cred, ond yn hytrach ddatblygiadau hanesyddol a diwinyddol. Daeth yn bryd cael anufudd-dod eglwysig mewn sawl pentref a thref yng Nghymru ac efallai y byddai hynny'n gwneud llawer mwy o les na'r pwyllgorau sy'n trafod uno. Mae'n rhaid i Grist-nogion bellach beidio â meddwl na byw yn enwadol. Ofn, a dagrau pethau, yw ei bod o bosibl yn rhy hwyr o safbwynt yr eglwysi Anghydffurfiol. Yr argyfwng mwyaf erbyn hyn yw fod yn well gan yr enwadau farw na dod ynghyd yn Nheyrnas yr Iesu cynhwysol.

Eglwys Unedig Cymru

Mae'n rhaid manylu rywfaint ar y cynllun sydd bellach yn y broses o gael ei drafod gan yr enwadau.

Mae'r adran ar 'Athrawiaeth' dros ddwy dudalen a hanner, yn cynnwys is-adrannau 1-6, a'r adran ar 'Strwythur' dros bedair tudalen ar ddeg a hanner, ac yn cynnwys is-adrannau 6-22. Nid oes adran ar genhadaeth na'r nôd a'r agenda i'r dyfodol. Mewn geiriau eraill, nid yw'r ddogfen drafod ei hun yn cyflwyno unrhyw alwad na gweledigaeth genhadol, er y cyfeirir at hynny mewn rhan o'r Rhagair. Dyna pam mae'r ddogfen, ar waethaf pob bwriad ar ran ei hawduron, mewn perygl o ddirywio i fod yn ddim ond trafodaeth ar uno strwythurau. Mae hyn yn drychineb oherwydd gall agor y drws i ddadleuon strwyth-urol. Y gobaith, o gael y ddogfen drafod, yw y bydd mwy o enaid a bywyd yn y cynllun uno pan ddaw hwnnw i fod. O ddilyn y broses, y gobaith yw y bydd yr enwadau fel cyrff yn dod i benderfyniad erbyn 2002. Fe fyddai rhai blynyddoedd wedyn cyn y deuai'r Eglwys Unedig i fod ac erbyn hynny fe fyddai'r sefyllfa gyfundrefnol wedi dirywio fwy fyth ac fe fyddai degawd arall wedi mynd. Mae angen gweithredu yn null Iesu o Nasareth, sef **gweithredu** yn llythrennol a cherdded ffordd ufudd-dod. Mae'n syndod fel mae'r eglwys wedi llwyddo i osgoi dulliau Iesu o weithredu â'r eglurhad am hynny yw bod ei ddulliau ef yn llawer rhy radical ac uniongyrchol. Nid siarad am y deyrnas a thrafod bod yn gynhwysol wnaeth Iesu! Cofio hynny sydd i gyfrif am yr awgrymiadau yn y paragraff dilynol. Ni lwyddodd yr eglwys i symud ymlaen erioed heb weithredu uniongyrchol. Awgrym i weithredu'n uniongyrchol sy'n dilyn:

Mentro

1. Annog (neu herio?) nifer o bobl – gweinidogion, blaenoriaid/diaconiaid ac aelodau eglwysig – i ddod at ei gilydd yn lleol os ydynt yn credu bod y dystiolaeth Gristnogol yng Nghymru **yn bwysicach na dim** arall yn eu golwg. Nid yw'r nifer, wrth gwrs, yn bwysig, na'r angen am gynrychiolaeth o bob enwad chwaith.

2. Addoli fyddai sylfaen y grŵp, a'r cam cyntaf fyddai cydnabod, mewn addoliad a gweddi, na fyddai enwadaeth fel cyfundrefn o unrhyw bwys bellach i'r rhai fyddai wedi dod at ei gilydd, a'u bod o hyn ymlaen yn mynd i fyw fel Cristnogion gyda'r argyhoeddiad fod enwadaeth **wedi peidio â bod** iddynt. Disgwylid iddynt wedyn wneud y canlynol:

3. Cydnabod a diolch yn yr un awyrgylch ac yn yr un ffordd am gyfoeth etifeddiaeth Gristnogol Cymru. Cyfoeth a chryfder eu hundeb fyddai cofleidio a gwerthfawrogi amrywiaeth y

traddodiad hwnnw oherwydd ffynhonnell y cyfan yw Gair
Duw. Ffrydiau bychain sy'n llifo i afon y Gair yw pob
traddodiad, a'r Gair ei hun yw'r unig sylfaen ar gyfer y dyfodol.

4. Gwneud **ymrwymiad o undod yng Nghrist** a hynny cyn trafod
unrhyw beth arall.

5. Peidio â gwneud dim yn eu heglwysi eu hunain am gyfnod o
flwyddyn heb yn gyntaf fynnu bod ystyriaeth yn cael ei rhoi i
gydweithio ac i gydaddoli â'r eglwysi eraill yn yr ardal. Fe
fyddent felly, drwy eu geiriau a'u gweithredu, yn ceisio ennyn
ymrwymiad aelodau eraill i ymwrthod ag enwadaeth. Byddai
hyn yn golygu ymweld â gwasanaethau a gweithgarwch
eglwysi eraill.

6. Ar ôl blwyddyn, dechrau cyfarfod yn rheolaidd fel rhai sydd
wedi ymrwymo i undod. Fe allai'r cyfnod hwn fod yn gyfle i
groesawu pobl ac i siarad â'r bobl sydd wedi cilio o'r eglwysi ar
ôl colli pob amynedd ag enwadaeth a rhaniadau, ac â'r rhai a
giliodd am i'r eglwys fethu â chynnal y ffydd ddigon bregus
oedd ganddynt. Fe fydd hyn yn waith holl bwysig. Yn y
cyfarfodydd hyn y bwriad fyddai edrych ar waith a chen-
hadaeth yr eglwys yn yr ardal a gwaith yr eglwys mewn
perthynas â'r eglwys fyd-eang. Cyfnod proffwydol fyddai, yn
edrych ar y sefyllfa ac yn darllen arwyddion yr amserau er
mwyn dechrau casglu adnoddau ar gyfer y dyfodol.

7. Dechrau cysylltu â'r trafodaethau ffurfiol a fydd efallai yn
parhau i drafod Eglwys Unedig Cymru, ac ystyried pa gyf-
raniad y gall yr hyn a fydd wedi digwydd ymysg y rhai fydd
eisoes **wedi uno** ei wneud i'r trafodaethau hynny. Os na fydd y
trafodaethau ffurfiol wedi symud ymlaen, fe fydd yn amser
efallai i'r criw fydd wedi ymrwymo benderfynu eu cyfeiriad
nesaf. Os bydd datblygiad yn y trafodaethau ffurfiol, yna efallai
y bydd gan y rhai sydd wedi symud ymlaen gyfraniad i'w
wneud i'r camau nesaf.

8. Yn hyn i gyd fe fydd yn rhaid hybu a hyrwyddo pob traf-
odaeth ar yr Eglwys Unedig – a bod yn rhan ohonynt – yn
wyneb y diffyg sêl a brwdfrydedd sydd i'w deimlo.

Nid oes raid i'r awgrymiadau hyn wrthdaro mewn
unrhyw ffordd â'r drafodaeth ar Eglwys Unedig Cymru.
Awgrymiadau ydynt ac nid cynllun arall. Fodd bynnag,
ymwrthod â galwad Iesu'r Iddew i fyw ein ffydd yw
peidio â sylweddoli bod yna rywbeth aruthrol fwy nag
uno enwadau yn y fantol. Nid yw'r awgrymiadau uchod
wedi sôn dim am yr iaith Gymraeg, ond fe wneir hynny
mewn pennod arall.

Croeso

Mae bod yn gynhwysol yn golygu bod yn agored a
chroesawus. Mae lle i ofni bod yr eglwysi, er pob bwriad
i fod yn groesawus, yn aml wedi creu'r argraff o fod yn
ddigroeso a chaeedig. Ar y cyfan, tebyg at debyg yw
cymdeithas yr eglwys. Mae'n wir inni ymfalchïo bod 'y
drws ar agor', ond anaml y gwelir yr eglwysi yn rhoi
cartref a chroeso i bobl gwbl wahanol i'r gynulleidfa
arferol a chlywir pobl yn sôn yn hollol naturiol am 'ein
heglwys ni'. A phan fo rhywun newydd a gwahanol yn
ymddangos yn ddirybudd, mae'n hawdd deall sut y gall
fynd i deimlo'n anniddig hyd yn oed. Mae eglwysi llawn
yn llwyddo i ddenu eraill yn rhwyddach o lawer. Mae'n
wahanol iawn mewn capel mawr, â'i sêt fawr a chynull-
eidfa wedi ei gwasgaru. Nid peth hawdd yw dod i berthyn
os nad ydych yn perthyn! Mae ymweld ag eglwysi yn
America ac eglwysi carismataidd yn Lloegr a Chymru,
yn cadarnhau bod yr eglwysi hynny wedi dysgu mwy
am ddiwylliant a dulliau croesawu nag yw capeli ac
eglwysi Cymru. Mae llawer o'r capeli Cymraeg yn rhy
ffurfiol i fod yn gynhwysol ac yn rhy swil i fod yn gynnes.

Er bod y drws ar agor, gall yn hawdd ymddangos i eraill ei fod ar gau.

Aelod

Mae eglwysi sydd â'u pwyslais ar geidwadaeth grefyddol ar y llaw arall yn llawer mwy clir a phendant ynglŷn â'r amodau a'r canllawiau sydd ynghlwm wrth fod yn aelod. Canlyniad anorfod hynny yw creu cymdeithas o bobl sy'n debyg iawn i'w gilydd: yn credu yr un ffordd, yn meddwl yr un ffordd. Oherwydd yr hyn yr ydym yn ei gredu, neu nad ydym yn ei gredu, sy'n ein gwneud yr hyn ydym. Dyna'r ymresymiad. Yr eglwys fwyaf ym Mhrydain, gydag 20,000 yn addoli ar y Sul, yw'r *London Kingsway Community Centre* sydd yn eglwys i bobl ddu eu lliw. (Mae mwy o bobl ddu nag o bobl wyn yn addoli yn Llundain bellach.) Mae sicrwydd o athrawiaethau'r ffydd a phrofiad personol yn gwbl angenrheidiol i fod yn aelod. Yn ychwanegol at hynny, yn ôl Ruth Gledhill, gohebydd crefyddol y *Times*, mae'n ddiddorol sylwi bod llawer o'r bobl ddu hyn bellach yn *'upwardly mobile, if not middle-class'*. (Dyma'r Cristnogion y cafodd William Hague a Tony Blair wahoddiad i'w hannerch yn eu Cynhadledd Flynyddol ym Mehefin 2000 – *'Holy Hague'* a *'Blessed Blair'*, meddai un newyddiadurwr!) Mae'r un peth yn wir am aelodaeth *Holy Trinity*, Brompton y cyfeiriwyd ati yn barod: yn ôl Ruth Gledhill eto, *'a byword for healthy elite evangelicalism.'* Yn yr eglwysi llwyddiannus hyn felly mae cyfuniad o athrawiaeth a dosbarth yn profi nad yw'r eglwys yn ei chael yn hawdd bod yn gynhwysol fel ei Gwaredwr. Yn wir, mae'n methu'n gyson. Dyma'r condemniad ohoni.

Bod yn agored i bawb yw bod yn gynhwysol yn null Iesu. Roedd Iesu yn cynnwys pawb am ei fod yn ddigon mawr i dderbyn pawb. Mae cynifer erbyn hyn wedi cilio o'r eglwysi am eu bod dan yr argraff fod iaith arbennig, termau arbennig, datganiadau arbennig sy'n angenrheidiol; ac oherwydd nad ydynt yn gwybod dim am y diwylliant hwnnw maent yn credu nad oes lle iddynt. Ni cheir yn yr Efengylau, gwaetha'r modd, ddigon o enghreifftiau o'r hyn a ddigwyddodd i unigolion ar ôl iddynt ddod i gysylltiad ag Iesu. A fynnodd Iesu, er enghraifft, bod Sacheus yn credu pob peth amdano, neu a oedd Iesu'n fodlon fod Sacheus yn awyddus yn unig i fod yn ei gwmni? A fynnodd fod Magdalen yn derbyn athrawiaeth y Drindod? Mae'r cwestiynau ynddynt eu hunain yn swnio'n rhethregol ac amherthnasol. Golyga credu yn yr Iesu cynhwysol gredu ei fod yn barod i unrhyw un yn ddiamod ddod i'w gwmni i wrando arno, i fwynhau ei gymdeithas, i fynegi eu cariad tuag ato a'u hymrwymiad iddo. Nid yw ef yn rhoi amod uniongrededd ar y berthynas. Peidio â meddwl am yr eglwys yn nhermau ei haelodaeth, ond mewn termau perthynas a chymdeithas, yw bod yn gynhwysol felly. Mae perthyn i Iesu yn aruthrol bwysicach nag yw dweud y pethau iawn amdano. Ein dynoliaeth sy'n rhoi'r hawl a'r gwahoddiad i ni ddod ato, nid traddodiad na honiadau. Canol, nid muriau, sydd i eglwys Iesu.

Agored

I lawer fe fydd y pwyslais hwn ar fod yn gynhwysol yn golygu cyfaddawdu, glastwreiddio a gwanhau'r dystiolaeth Gristnogol mewn cyfnod pan yw cred ar drai. Ffolineb o'r mwyaf fyddai gwadu bod grym i'r ddadl hon. Mae adegau, siŵr o fod, pan fo offeiriaid a gweinidogion o fewn yr enwadau traddodiadol yn eiddigeddus o'r rhai sy'n arwain eglwysi lle mae pob aelod yn uniongred ac yn hollol glir ar hanfodion y ffydd. Pan fo hynny yn wir, mae ymgysegriad yn ddieithriad yn dilyn. Mor wahanol, mor gwbl wahanol, yw amrywiaeth rhyfeddol y gred sydd ymysg aelodau llawer eglwys arall. Hawdd iawn fyddai dod i'r casgliad wedyn mai gweddillion – gweddillion cred, traddodiad, ac eglwys hyd yn oed – sydd ar ôl ac nid gweddill. Mae hynny yn ei dro yn rhoi mwy byth o resymau i'r ceidwadwyr crefyddol ddweud, 'Does ryfedd fod yr eglwysi mor wag; sicrwydd mae pobl ei angen'.

Ond mae ochr arall yr un mor bwysig i'r ddadl. Onid y lle pwysicaf i bobl ddod â'u cwestiynau yw yr union fan lle mae Iesu yn y canol? A yw'n gyson â gweinidogaeth Crist mynnu bod pobl yn ymateb yn y ffordd iawn ar ôl clywed y neges? A faint o amser sy'n cael ei ganiatáu i glywed y neges a'i deall, beth bynnag? Nid oes un enghraifft o Iesu yn rhwystro unrhyw un rhag dod i'w gwmni. Mae'n wir i rai droi i ffwrdd neu droi yn ôl am amrywiol resymau, ac mae'n wir hefyd i Iesu, yn gwbl onest a diflewyn-ar-dafod, ddweud beth oedd goblygiadau ei ddilyn. Ond, er hynny, nid yw byth yn cau'r drws – byth! Gwneud yr eglwys yn gwbl agored yw bod yn gynhwysol: ymestyn terfynau ei gariad y mae gras Duw. Codi rhwystrau wna barn dynion, gan gynnwys Cristnogion. Dyna pam, gyda llaw, mae'n allweddol cael un ganolfan addoli ym mhob cylch ac ardal. Gwerth mwyaf hynny fyddai nid yn gymaint dod â'r Cristnogion at ei gilydd, ond gwneud cymdeithas eglwys Crist yn agored i bob un yn y gymuned. I fod yn eglwys Crist yn y gymuned ac yn y byd mae'n rhaid i'r eglwys fod mor gynhwysol â'i Gwaredwr. Mae hynny'n golygu newid radical mewn agwedd a gweithredu.

Byd o grefyddau

Mae sôn am Iesu cynhwysol yn yr unfed ganrif ar hugain yn golygu llawer iawn mwy na pherthynas rhwng eglwysi Cymru a'i gilydd. Mae un o ddiwinyddion mawr ein cyfnod, os nad y mwyaf, wedi cysegru ei fywyd i edrych ar Gristnogaeth mewn perthynas â chrefyddau eraill, oherwydd mewn byd fel hwn a chyfnod fel hwn ni all Cristnogaeth sefyll ar wahân i grefyddau eraill. Mae Hans Kung, aelod anghydffurfiol a gwrthodedig ar un cyfnod, o Eglwys Rhufain, yn credu bod dyfodol gwareiddiad yn dibynnu ar berthynas crefyddau â'i gilydd. Mae Kung wedi mynd ati, ac fe gymer flynyddoedd iddo eto, i edrych ar holl grefyddau'r byd yn eu tro, ac mae'n gwneud hynny gyda gofal a thrylwyredd sy'n cael ei adlewyrchu ym maint y cyfrolau! Mae'n rhaid i Gristnogion, meddai, beidio â gweld crefyddau eraill yn fygythiad. Mae agwedd o'r fath ynddo'i hun yn negyddol a dinistriol. Crefydd a diwylliant ein cymdogion ym Mhentre'r Byd ydynt. Mae'n bwysig sylweddoli hefyd nad oes dim yn newydd yn hyn, oherwydd roedd Iesu hefyd yn byw mewn byd amlgrefydd. Yr hyn sydd yn newydd yw na all Cristnogion nac unrhyw grefyddwyr eraill bellach fyw mewn anwybodaeth o'i gilydd. Magu rhagfarn a chasineb mae anwybodaeth, ac o sylweddoli hyn mae angen pwysleisio dwy ffaith yn arbennig.

Newid agwedd

Dyma'r ffaith gyntaf: beth bynnag a ddywedir am yr Ail Ryfel Byd a'i ddylanwad ar wareiddiad yr ugeinfed ganrif, nid oes amheuaeth na fu'r gyflafan yn allweddol i newid y berthynas rhwng Iddewon a Christnogion. Cyfeiriwyd at hyn eisoes ac nid dyma'r lle i fanylu oherwydd mae'n faes sydd bellach yn ffrwythlon ac yn boblogaidd iawn, ac, yn nhyb rhai, dyma'r maes pwysicaf un sydd yn ymwneud â lle crefydd yn y byd cyfoes. Digon yw dweud y dylai pob Cymro ddarllen cyfrol Gareth Lloyd Jones, *Lleisiau o'r Lludw* (Gwasg Gee, 1994) y cyfeiriwyd ati eisoes i gael ymdriniaeth oleuedig a hollbwysig â'r maes. Dyma'n sicr y llyfr crefyddol pwysicaf i'w gyhoeddi yn y Gymraeg, a'r unig un ar y maes hwn yn ystod yr ugain mlynedd diwethaf. Mae'n trafod agweddau Cristnogion tuag at yr Iddewon ar hyd y canrifoedd ac yn arbennig y newid a fu ar ôl yr Holocost. Y newid mawr yw na all Cristnogion bellach feddwl am Dduw yn union yr un fath ar ôl Auschwitz a Belsen, ac mae hynny'n golygu na fedrwn edrych ar Iesu yn union yr un fath chwaith . Dywed y diwinydd, Johann-Baptist Metz, mewn geiriau a ddyfynnir yng nghyfrol Marcus Braybrooke, *Time to Meet,* (tud. 114) nad oes wirionedd y gallai ei amddiffyn â'i gefn tuag at Auschwitz, ac nad oes Duw y medrai weddïo arno â'i gefn tuag at Auschwitz. Bu sefydlu Cyngor Iddewon a Christnogion wedi'r rhyfel yn gam hanesyddol. Y Cyngor hwn a'r trafodaethau a ddilynodd a ddaeth â rhai Cristnogion ac Iddewon i sylweddoli yr hyn a oedd – neu a ddylai fod – yn gwbl sylfaenol, sef mai'r un Duw a'r un cefndir sydd gennym. Mae Iddewiaeth a Christnogaeth wedi tyfu o'r un gwraidd. Wedi'r elyniaeth, y casineb a'r rhagfarnau, daeth dechrau cyfnod o gymodi, o wrando ac o rannu. Mae'r berthynas hon wedi datblygu rhwng arweinwyr crefyddol a diwinyddion ond mae ymdrechion wedi eu gwneud hefyd drwy lenyddiaeth boblogaidd yn ogystal a chan unigolion brwdfrydig i wneud aelodau cyffredin yn fwy effro i'r datblygiadau hyn. Ar y llaw arall, mae cylchgrawn Catholig fel y *Tablet* yn rhoi colofn gyson i'r Iddew Lionel Blue ac mae Jonathan Sachs, y Prif Rabi, yn cyfrannu'n gyson i'r wasg Gristnogol. Mae hyn i gyd yn newid syfrdanol ac yn llawer mwy syfrdanol na bod Protestant yn mynd i eglwys Gatholig.

Deialog

Mewn cenhadaeth, bellach, nid ennill yr Iddewon i Grist yw ein tasg, ond tystio i Grist yr Iddew sy'n cymodi ac yn cyfannu. Mae cenhadu er mwyn troi Iddewon yn Gristnogion nid yn unig yn creu gwrthdaro a gelyniaeth ond yn rhannu'r Gair ac yn rhwygo'r gwreiddiau. Anghytuno'n llwyr â safbwynt o'r fath wna llawer o Gristnogion ceidwadol wrth gwrs. Mudiad felly yw *Jews for Jesus* sy'n credu bod tröedigaeth yr Iddewon at Grist yn hollbwysig ac yn gwbl hanfodol cyn y gwireddir y comisiwn mawr i ennill y byd i Grist. Mae'r pwyslais wedi bod yn amlwg yn America'r mileniwm. Os nad oes agenda byd-eang i ennill pawb o bob crefydd i'r efengyl, yna nid oes gennym wir galon at efengylu – dyna'r ddadl, ond mae nifer gynyddol o Gristnogion bellach na allant gytuno â safbwynt o'r fath. Galwad gyntaf y Cristion yw tystio i Grist fel Goleuni'r Byd ac mae eraill, yn arbennig yr Iddewon, yn rhannu yn y Goleuni hwnnw. Dywed yr Iddew enwog, Martin Buber, iddo ef ddarganfod yng Nghrist ei frawd mawr. A deil Geza Vermes sydd wedi ysgrifennu mwy na neb efallai am y berthynas rhwng Cristnogaeth ac Iddewiaeth fod Iesu'r Iddew, drwy Efengylau Mathew, Marc a Luc, bob amser yn herio'r Gristnogaeth draddodiadol. A'r 'traddodiadol' yn y cysylltiadau yna yw hawl absoliwt y Cristnogion i'r goleuni. Iddew oedd Vermes cyn dod yn Gristion, ac fe fu yn offeiriad Pabyddol cyn dychwelyd at Iddewiaeth. Mae wedi cofnodi ei bererindod yn ei hunangofiant, *Providential Accidents*. Mae'r goleuni ymhlith yr Iddewon yn barod, oedd ei farn, ond nad ydyw'r Iddewon yn sylweddoli hynny yn llawn. Mae'n rhaid cofio bod parhau i ddisgwyl i'r goleuni hwnnw lewyrchu yn y Meseia, pan ddaw, yn rhan o gred yr Iddew. Cred y Cristion yw ei fod wedi dod, a chred yr Iddew ei fod i ddod; ond oherwydd bod pwyslais mawr yn y ffydd Gristnogol ar ddatguddiad llawnach yn y dyfodol, mae'r tir cyffredin rhwng y ddwy grefydd yn dir a allai fod yn dir ffrwythlon iawn. Paul sydd wedi cael y bai yn aml am roi yr argraff fod y Newyddion Da i'r Cenhedloedd yn Newyddion Drwg i'r Iddewon! Ond mae hyn yn gwbl groes i syniadaeth

Paul. Ei ddadl yn yr Epostol at y Rhufeiniaid yw nad oes raid i'r Iddewon ddod yn Gristnogion er mwyn derbyn yr addewid. Y mae addewid Duw i Israel yn parhau – 'nid yw Duw wedi gwrthod ei bobl' meddai (Rhufeiniaid 11.2). Nid oes raid i'r Cenhedloedd ddod yn Iddewon chwaith!

Mae'r Iesu cynhwysol yn tynnu Cristnogion ac Iddewon ato, ac fe fu cyflafan fawr yr Holocost yn gyfrwng i ddod â'r Iesu hwnnw i'r golwg: yr Iesu y mae ei oleuni yn dinoethi dyfnder drygioni gwrth-Iddewiaeth ac yn dinoethi'r anwybodaeth a'r rhagfarnau sy'n dallu Cristnogion.

Roedd ymweliad y Pab ag Israel a Phalesteina ddechrau'r flwyddyn 2000 yn ddigwyddiad o bwys mawr. Ychydig ddyddiau cyn mynd roedd wedi cydnabod beiau a methiannau'r eglwys ar hyd y canrifoedd, ac yna yn Israel ei hun, fe wnaeth bopeth o fewn gallu ei gorff bregus i hyrwyddo'r berthynas newydd rhwng Iddewiaeth a Christnogaeth. Fe wireddodd mewn un ymweliad (er nad yw hynny yn ddigon o bell ffordd) yr hyn sydd wedi bod yn weddi i Gristnogion ac Iddewon er diwedd yr Ail Ryfel Byd.

Crefyddau'r Byd

A dyma'r ail ffaith: mae'r berthynas rhwng Iddewon a Christnogion yn arwydd hefyd o berthynas Iesu â holl grefyddau'r byd. Mewn byd mor fychan mae gwybodaeth a dealltwriaeth o grefyddau eraill yn chwarae rhan bwysig mewn dod â diwylliannau a chrefyddau yn nes at ei gilydd. Mae gwahaniaethau mawr rhwng crefyddau a'i gilydd ac mae'n rhaid cydnabod hynny. Ni fwriadwyd i ddeialog erioed fod yn gytundeb, ond mae yna bethau sydd yn uno. Un enghraifft yw Cyngrair Assisi, sef ymdrech y Pab yn wyth degau'r ganrif ddiwethaf i ddod â holl grefyddau'r byd ynghyd i wynebu cyfrifoldeb gwarchod y cread. Mae'r pwyslais ar warchodaeth wedi tyfu ac ymledu erbyn hyn i gynnwys sawl corff a mudiad drwy'r byd. Mae Iddew, Cristion a Mwslim yn rhannu yr Hen Destament a'i bwyslais mai cread Duw yw hwn. Mae crefyddau eraill fel Bwdïaeth a Hindŵaeth yn cywilyddio Cristnogion ac Iddewon yn aml â'u pwyslais ar barch tuag at bob ffurf o fywyd. Erbyn hyn mae addoli amlgrefydd yn fwy cyffredin, ac mae'r pwyslais yn ddieithriad ar Dduw y Creawdwr a galwad ar grefyddau'r byd i fod yn gyfryngau cymod a heddwch yn y byd.

Lle i Grist

Mae Iesu yn gyswllt hefyd rhwng holl grefyddau'r byd. Mae iddo ei le ym mhob crefydd. Mae'n sefyll mewn lle allweddol fel proffwyd a chymodwr rhwng Iddewiaeth a Mwslemiaeth – mae Cristnogion Palesteinaidd yn profi hynny. Mae *Koran* y Mwslim, wrth gwrs, yn cynnwys cymeriadau o'r Hen Destament ac yn mynd yn ôl i'r un gwreiddiau ym Moses. Mae Iesu hefyd yn ennyn y parch mwyaf ymysg Bwdïaeth i'r graddau fod y Dalai Lama wedi dweud wrth y torfeydd a oedd am ei glywed yn Llundain yn 1998 fod ganddynt athro gwell o lawer nag ef, sef Iesu. Pam dod ato ef, meddai, pan fo Iesu ganddynt. Fe wyddom fod Hindŵaeth (ac fe gofiwn eiriau Gandhi yn sôn ei fod yn caru ein Crist ond yn casáu ein Cristnogaeth) yn ei anrhydeddu ac yn ei ddyrchafu. Hyd yn oed yng nghrefyddau rhyfedd yr oes newydd a'r cymysgwch rhyfeddaf o gredoau, mae *'brother Christ, man'* yn ddywediad cyffredin. Mae'n werth dyfynnu llythyr gan yr awdurdod ar grefyddau'r byd, y Tad William Johnston, a ymddangosodd yn y wasg ddiwedd Tachwedd 1999 ar ôl ymweliad y Pab â'r India: petai'r Pab wedi siarad am Iesu a'r efengyl ac nid am yr eglwys, meddai, fe fyddai ei neges wedi cael ei derbyn drwy Asia. Ychwanega fod Ramakrishna, Gandhi, Ramana Maharishi a seintiau Hindŵaidd eraill yn caru Iesu a bod Bwdïaid ym mhobman yn ei edmygu a'r Mwslemiaid yn ei gydnabod yn broffwyd. Mae yn parhau i ddangos mai drwy fod yn gynhwysol y mae'n tynnu pobl ato ei hun o hyd. Nid oes neb arall, yn yr un grefydd arall, sy'n medru pontio fel Iesu. Mae hyd yn oed crefyddau sydd yn honni eu bod yn tynnu ar y gorau o bob crefydd, er enghraifft, *Baha'i*, yn ei chael yn anodd pontio oherwydd eu bod ynghlwm wrth ddiwylliant arbennig. Y gwir am Iesu yw ei fod yn ei ryddhau ei hun o bob diwylliant; a'r un pryd yn medru ymgartrefu ym mhob diwylliant, ac oherwydd hynny mae'r Iesu cynhwysol yn gymodwr hefyd, ac oherwydd ei fod yn gymodwr mae'n medru sefyll yng nghanol holl grefyddau'r byd. Dyna oedd Neges Milflwyddiant y Dr Konrad Raiser, Ysgrifennydd Cyffredinol Cyngor Eglwysi'r Byd. Galwodd ar holl eglwysi'r byd i weithredu cymod yn enw'r Iesu cynhwysol: cymod rhwng Cristnogion, Iddewon a Mwslemiaid yn Israel a Phalesteina; rhwng Cristnogion a Mwslemiaid yn Indonesia (a'r gwrthdaro bellach yn 'ryfel crefyddol' erchyll), Nigeria, Pakistan, Bosnia a Kosovo (ac Eglwysi Uniongred Serbia yn cael eu bomio yn gyson ym mhentrefi'r wlad); rhwng Cristnogion, Mwslemiaid a Hindŵiaid yn India (sydd wedi datblygu'n ladd ac yn ddial). Dim ond Iesu cynhwysol a all fod yn bont dros ddyfroedd stormus sefyllfaoedd o'r fath.

Fe ddywed rhai nad yw'r cwestiwn o berthynas â chrefyddau eraill yn berthnasol i bentrefi cefn gwlad Cymru ond byddai honiad o'r fath ynddo ei hun yn dangos anwybodaeth. Nid sôn yr ydym am agor drysau Soar y Dyffryn i grefyddau eraill, ond sôn am agwedd ac am ffordd o edrych ar eraill drwy lygaid cynhwysol Iesu. Nid mater o oddefgarwch meddal ydyw, ond mater o argyhoeddiad o fawredd y Crist sy'n mynnu rhoi lle i bawb. Nid mater o gyfaddawdu crefyddol ydyw chwaith, ond mater o ddod i sylweddoli bod yr eglwys Gristnogol wedi bod yn filwriaethus a chystadleuol o'i mewn ei hun, heb sôn am ei hymwneud â chrefyddau eraill, gan gredu ar adegau mai hyn oedd cenhadaeth. Tystio i Iesu yw cenhadaeth ac mae'r Iesu hwnnw yn pontio ffiniau diwylliannol a chrefyddol. Nid academydd mewn twr ifori yw Hans Kung, ond diwinydd sydd wedi byw mewn canrif ac mewn gwlad a brofodd ragfarnau crefyddol ar eu gwaethaf. Fe wyr na fu erioed fwy o angen adnabod y Duw sy'n ddigon mawr i gynnwys holl grefyddau'r byd; sy'n ddigon gwylaidd i ddatguddio'i ewyllys drwy fywyd Un a fu fyw mewn cornel fechan o'r byd, ond un yr oedd ei ddynoliaeth a'i dosturi goddefgar yn ei wneud yn agored i bawb.

Dyn pobl

Drwy berthynas Iesu â phobl y gwawriodd teyrnas Dduw ar ein byd, ond pobl yn eu cymuned a phobl yn rhan o fywyd brau a chymhleth cenedl. Nid oedd yn medru ymwneud â'r naill na'r llall ar wahân i'w gilydd a dyna pam roedd yn dod wyneb yn wyneb â'r strwythurau crefyddol, cymunedol a gwleidyddol yn gyson ym mhob peth a wnaeth. Yn anorfod, roedd Iesu cynhwysol yn mynd i gynhyrfu'r dyfroedd.

Rydym wedi canolbwyntio ar berthynas rhwng eglwysi a rhwng crefyddau a'i gilydd yn y bennod hon. Oherwydd bod y naill berthynas a'r llall yn dibynnu i raddau helaeth ar gyfundrefn a strwythur, y mae gwrthdaro â Iesu'r Iddew yn anorfod. Mae angen hefyd ddangos cydymdeimlad mawr â'r gyfundrefn, wrth gwrs, oherwydd mae angen cyfundrefn rhag cael anhrefn. Ac mae angen cydymdeimlad â'r rhai sy'n ceisio cynnal y gyfundrefn, oherwydd rhywbeth sydd wedi ei hetifeddu

yw cyfundrefn. Ond nid yw Iesu yn ffitio i gyfundrefn.
Mae pobl yn bwysicach iddo. A dyna'r broblem i eglwys,
i wladwriaeth ac i fyd. Aeth pobl yn ystadegau.

Pobl yr ymylon

Dylai'r eglwys fod yn gartref i bobl yr ymylon ac fe allai'r
rheini fod yn bobl yr ymylon am eu bod yn wrthodedig
gan y gymdeithas. Mae digon ohonynt: troseddwyr, cyn-
garcharorion, y digartref, pobl y stryd, ond mae angen
pwysleisio i'r eglwys drwy'r byd wneud llawer iawn â
phobl yr ymylon ar hyd y canrifoedd. Nid oes un mudiad
wedi gwneud cymaint, a lle bynnag y mae'r gwrthodedig
a'r difreintiedig, mae yno hefyd Gristnogion sy'n ymateb
i alwad eu Gwaredwr. Mae hynny yn aml yn wir am drefi
a dinasoedd Prydain a Chymru. Ond, mae'r eglwysi fel
sefydliadau yn dal yn amheus ac yn ofnus o bobl yr
ymylon. Mewn sawl gwlad a chymdeithas drwy'r byd
gellid yn hawdd sôn am hawliau a safle merched yn y
cysylltiadau hyn. Er bod merched yn parhau yn ymylol
mewn llawer ffordd yn yr eglwysi, fe ellir dweud bod
agweddau o'r diwedd yn araf newid. Nid agweddau at
gyfunrhywiaeth yw'r cwestiwn moesol pwysicaf yn ein
cymdeithas chwaith, ond mae'n ymddangos bod yr
eglwysi yng Nghymru naill ai yn dewis anwybyddu'r
cwestiwn neu yn ymwrthod yn llwyr ag ef. Y gwir yw
nad yw'r eglwysi Cymraeg wedi cymaint â thrafod lle'r
hoyw mewn cymdeithas heb sôn am eu lle yn yr eglwys,
tra bu'r drafodaeth yn mynd yn ei blaen ers degawdau
lawer yn yr eglwysi Gatholig ac Anglicanaidd. Mae'r
drafodaeth wedi ysgogi teimladau cryf ac ymosodol ac
wedi arwain, yn America a rhai o wledydd cyfandir
Ewrop, at raniadau a fu'n gyfrwng i sefydlu eglwysi
arbennig ar gyfer y gymuned hoyw. Yn hanesyddol ac yn

gyffredinol mae agwedd yr eglwys Gristnogol wedi bod yn un cwbl glir a digyfaddawd: mae cyfunrhywiaeth ar unrhyw ffurf yn groes i fwriad ac ewyllys Duw. Mae'n bechod ac yn llygriad o'r cyflwr dynol nad yw'n dderbyniol gan Dduw, ac felly mae i'w gondemnio a'i wrthod. Lefiticus 18.22 ac 20.13 a ddyfynnir amlaf, ac y mae'r ail gyfeiriad yn nodi mai dedfryd o farwolaeth yw'r gosb! Mae llawer o Gristnogion sy'n barod iawn i ddangos cydymdeimlad a thosturi ond, ar y cyfan, bod yn barod i gasáu'r pechod ond caru'r pechadur yw'r unig gyfaddawd posibl i lawer. Fel llawer a ddaeth wyneb yn wyneb ag Iesu, cred gyffredinol yr hoyw yw nad oes lle na derbyniad na chroeso iddynt yn yr eglwysi. Mae enghreifftiau o Gristnogion hoyw sydd wedi eu dieithrio'n llwyr oddi wrth yr eglwys a hyd yn oed oddi wrth y ffydd am eu bod wedi cael ar ddeall yn gwbl glir nad oedd lle na chroeso iddynt.

Nid oes amser na gofod i wneud cyfiawnder â'r drafodaeth yn y gyfrol hon, ond mae gwir angen cael trafodaeth yn yr eglwysi. Mae llawer iawn o Gristnogion erbyn hyn wedi dod yn gwbl agored am eu cyfunrhywiaeth ac mae'r gymdeithas wedi symud ymhell o agwedd draddodiadol yr eglwys.

Fel y gwna Cristnogion, roedd yr Iddewon hefyd, oherwydd canllawiau a thraddodiad, wedi gwthio llawer o bobl i ymylon cymdeithas, ond fe chwalodd Iesu'r muriau ac fe greodd gymuned gynhwysol o'i gwmpas. Nid oedd Iesu yn delio â phawb yn yr un ffordd, oherwydd gwyddai fod pawb yn wahanol ac nid oes amheuaeth nad oedd pobl yr ymylon yn barod iawn i fynd ato, am ei fod, nid yn unig yn llawn tosturi, ond am ei fod hefyd yn llawn dicter cyfiawn o weld agweddau oedd am roi terfynau ar gariad Duw. Roedd y canlyniad yn syfrdanol ac yn ysgytwol i'r Iddewon. Maent yn parhau i fod yn syfrdanol i ni. Derbyn pobl y mae Iesu ac mae lle i bawb yn ei gymdeithas ef. Mae angen i'r eglwysi ddweud hynny yn glir wrth y gymuned hoyw: mae ef yn Iesu cynhwysol. Ac mae'n rhaid i'w eglwys fod felly yn ogystal.

PENNOD 5

Yr Iddew di-drais

Mae'r eglwys hyd yn oed wedi wafflo'r Bregeth ar y Mynydd. 'Ie, ond…' yw'r ymateb wedi bod mewn mwy nag un cyfnod. Ar y cwestiwn o ryfela a difa a lladd, mae record yr eglwys yn drychinebus.Oes yna odineb cyfiawn, dial cyfiawn, rhagrith cyfiawn…? Os yw'r eglwys am ennill hygrededd, mae rhai pethau y mae'n rhaid iddi ei wneud. Profi fod ganddi Arglwydd di-drais yw un o'r pethau hynny.

*... gyda thristwch yr wyf yn ymryddhau o'm haelodaeth o
Bwyllgor Gwaith Cymdeithas y Cymod... bu gwaith y
Gymdeithas yn fodd i'm cadw'n fyw yn ysbrydol pan oedd y
Sefydliad Cristnogol a'i ddogmâu a'i draddodiadau yn peri
diflastod a dadrithiad... bydd angen atgoffa Cristnogion o hyd
fod y Deyrnas yn bwysicach na'r eglwys a bod byw meddwl
Iesu yn ddwysach galwad na diwinydda amdano.*

– Parchedig Islwyn Lake, *Llythyr i Gymdeithas y Cymod* (Cymdeithas
o Heddychwyr Cristnogol) Mai 7, 2000

*Fe erys Teyrnas y Weiren Bigog yn farc cwestiwn oesol ar
ddynoliaeth a'i Chreawdwr. Wyneb yn wyneb â'r fath
ddioddefaint, y fath boen, fe ddylai Ef fod wedi ymyrryd, neu o
leiaf wedi dweud rhywbeth. Ar ba ochr y mae? Onid yw'n Dad i
ni oll? ... Eto, sut allwn ni ddim peidio â thosturio wrth Dad
sydd yn gweld ei blant yn cael eu difa gan ei blant eraill? A oes
dioddefaint mwy neu gwaeth na hynny?*

– Elie Wiesel, Iddew, *All Rivers Run to the Sea*

*Yr ydym yn galw ein hunain yn dangnefeddwyr, ond nid ydym
yn barod i dalu'r pris. 'Wrth gwrs ein bod am gael heddwch',
meddem ni, 'ond ar yr un pryd yr ydym am i bethau aros fel ag
y maent, yn normal ac yn sefydlog – nid ydym am weld carchar
nac anghydfod na chreu ansicrwydd'. Ond does dim heddwch,
oherwydd does dim gweithredwyr heddwch. A does dim
gweithredwyr heddwch oherwydd mae creu heddwch mor gostus
â gweithredu rhyfel – mor galed, mor anodd ac mor llawn o
beryglon. Dyna yw byw bywyd di-drais. Bywyd felly oedd
bywyd Iesu – ac fe dalodd Ef y gost eithaf.*

– Daniel Berrigan, *No bars to Manhood*

Os methodd Israel ag ymateb i alwad ei phroffwydi, a dyna fu a dyna yw trychineb mwyaf yr Iddewon; mae holl wledydd cred yn euog o'r un methiant, ac mae Iddewiaeth a Christnogaeth fel ei gilydd yn euog o fethu yn eu tystiolaeth. Rhagrith ar ran y ddwy grefydd fyddai unrhyw ymffrost neu awgrym o ragoriaeth. A'r methiant? Bod y ddwy grefydd ymysg y crefyddau mwyaf militaraidd yn y byd.

Mae Duw, ym mhob cyfnod ac ym mhob argyfwng yn hanes ei bobl, wedi codi ac wedi galw arweinwyr. Yn eu tro ac yn eu cyfnod roedd yr arweinwyr hynny yn cyhoeddi ac yn gweithredu ewyllys Duw. Nid eu bod i gyd wedi llwyddo, wrth gwrs, ond roedd disgwyl i'w bywyd fod yn gyfrwng i gario'r neges. Cymerwn Hosea fel enghraifft. Drwy gyfrwng ei fywyd, yn ogystal â'i neges, defnyddiodd Duw ef i lefaru wrth ei bobl am ffyddlondeb a thosturi Duw – y Duw sy'n gwybod bod ei bobl fel plant yn dysgu cerdded. Ond roedd Hosea hefyd yn ŵr a ddangosodd ffyddlondeb mawr yn ei fywyd personol oherwydd fe fu'n ffyddlon i wraig a fu'n anffyddlon iddo yntau. Roedd ei brofiad personol yn gyson â'i neges i'w genedl. Mae'r un peth yn wir am Jeremeia a deimlai fod ei fywyd yn fethiant llwyr (yn wir fe deimlai ar adegau nad oedd arno eisiau byw o gwbl) ar yr union amser yr oedd ei genedl yn cael ei chwalu o flaen ei lygaid. Roedd yn byw mewn cyfnod pan oedd ei genedl yn llythrennol yn cael ei dinistrio ac nad oedd modd ei hamddiffyn na'i hadfer. Ond roedd profiad personol

Jeremeia yn debyg iawn i sefyllfa ei bobl ac, yn yr un modd â Hosea, roedd yntau yn arwain drwy air ac esiampl. Mae yna broffwyd dienw, y gwelir ei eiriau yn Eseia (penodau 40–55), a oedd yn byw yn ddiweddarach na Jeremeia, ac a ddechreuodd sylweddoli bod Duw yn arwain ei bobl hyd yn oed drwy eu dioddefaint. Ni wyddom fawr ddim am y proffwyd, ond nid oes dim amheuaeth, o ddarllen ei eiriau nad oedd yn dechrau gweld dioddefaint yn gyfrwng i iacháu cenedl. Ym mywyd a geiriau'r proffwyd hwn, rydym yn bell iawn o lwyddiannau militaraidd a gwleidyddol Dafydd a Solomon, ac yn symud i gyfeiriad arweiniad ac arweinydd cwbl wahanol i'r ddelwedd a fu gynt. Ond, roedd yr Iddewon wedi parhau i obeithio y byddai Duw, ryw ddydd, yn codi Meseia i arwain ei bobl i fuddugoliaeth yn erbyn y gelynion. Mewn cyfnod o drais a gormes ac egwyddor 'trechaf, treisied', roedd yn gwbl naturiol mai gobeithion o'r fath oedd yn cynnal fflam ffydd yr Iddew. Roedd meddyliau'r proffwyd dienw yn hollol wahanol ac ef, gyda llaw, a ddywedodd, 'nid fy meddyliau i yw eich meddyliau chwi'.

Roedd dyddiau yr arweinyddion cryf wedi hen ddirwyn i ben a thrwy'r chwalfa genedlaethol a chrefyddol y cyfeiriwyd ati uchod, roedd yna ffordd newydd o arwain yn dod i'r golwg. Roedd yn mynd i fod yn arweinydd a fyddai'n gwbl gyson yn y berthynas rhwng yr hyn ydoedd a'r hyn oedd ganddo i'w ddweud a'i wneud. Roedd Duw yn hau hadau'r ffordd amgen, a ffordd ddi-drais oedd honno.

Gwas dioddefus

Ni wireddwyd y freuddwyd am Was yr Arglwydd – a gobaith ar gyfer y dyfodol oedd y freuddwyd beth bynnag – ond rai canrifoedd yn ddiweddarach fe ddaeth Iesu a byw bywyd oedd yn gwbl gyson â'r darlun o'r 'Gwas Dioddefus' y soniwyd amdano gan y proffwyd. Fe all pobl anghytuno â sawl agwedd ar fywyd Iesu, fel y gwnaethpwyd yn ei ddydd ac fel y parheir i wneud, ond nid oes neb fyddai'n amau iddo fyw bywyd cwbl ddi-drais, ac yn hyn o beth mae yn cyflawni gobeithion ac addewidion yr Hen Destament. Ond trasiedi fawr ei fywyd oedd i lawer o'r Iddewon mwyaf ymroddedig a ffyddlon, fethu â derbyn y gallai'r Meseia fyw bywyd fel hyn. Nid oeddynt wedi deall eu Hysgrythurau eu hunain. Agwedd arall ar y drasiedi yw i Gristnogion yn ddiweddarach ei chael yn anodd derbyn hynny hefyd. Honnai Gandhi ei bod yn ymddangos mai'r unig rai sy'n ei chael yn anodd cymryd bywyd cwbl ddi-drais Iesu o ddifrif yw Cristnogion eu hunain! Dyna yn wir fethiant Cristnogion ac Iddewon, a methiant y mae Jeriwsalem heddiw yn symbol ohono. O'i eiriau cyntaf yn cyhoeddi bod teyrnas Dduw wedi dod, a thrwy ei frwydr fewnol yn yr anialwch, i'w weinidogaeth a'i ddysgeidiaeth; o'r ffordd y mae'n ymateb i'r casineb a'r rhagfarnau yn ei erbyn ac yn ymateb i'w erledigaeth, i'w boenydio ac i'w groeshoelio – drwy hyn i gyd, mae bywyd a marwolaeth Iesu yn ddatguddiad cwbl ddi-drais o Dduw ei hun. Ac ar hyd y canrifoedd mae hyn wedi bod yn faen tramgwydd i'r eglwys Gristnogol ac y mae wedi ceisio gwahaniaethu rhwng yr hyn a ddywedodd a'r hyn ydoedd Iesu. Fe gredodd yr eglwys fod modd sôn am 'Grist Goncwerwr' ar wahân i'r 'Gwas Dioddefus', ac am y 'Crist Cyfiawn' ar wahân i 'Dywysog Tangnefedd'. Ond nid yw hyn yn bosibl. Dyna pam y gellir dweud bod yr eglwys wedi cyfrannu'n gyson yn nhrosedd a methiant Jiwdas. Ceisiodd yntau, â'i frwdfrydedd Selotaidd, wneud gwrthryfelwr cenedlaethol Iddewig ohono, yn union fel y ceisiodd yr eglwys wneud Cadfridog ohono.

Y Cyfaddawd mawr

Ar ôl canrifoedd cynnar Cristnogaeth ac aberth y Cristnogion cynnar yn gwrthod plygu i awdurdod Cesar, daeth newid syfrdanol. Iesu sy'n Arglwydd ac nid Cesar. Teyrnas arall oedd un Cesar a theyrnas yn cynnal cyfundrefn gormes, hynny yw, cyfundrefn a oedd yn credu y gallai trais fod yn drais cyfreithiol a chyfiawn. Grym oedd wedi sefydlu Cesar a grym oedd yn ei gynnal. Ond mae Teyrnas Dduw yn gwbl, gwbl wahanol. Mae'r Deyrnas honno yn cael ei chynnal nid drwy rym, ond drwy gyfiawnder a thrwy gariad a heddwch Duw. Y cyfrwng yw'r neges. Y dull yw'r freuddwyd. Buddugoliaeth ddi-drais oedd buddugoliaeth Cristnogaeth dros yr Ymerodraeth a methiant fu pob ymdrech i'w difa. Ond pan dderbyniodd Cystennin y ffydd Gristnogol yn grefydd newydd i'w ymerodraeth, fe roddwyd gwisg arall i Gristnogaeth ac fe ddaeth yn rhan o'r gyfundrefn. Er bod yna naws profiad ac argyhoeddiad ar dröedigaeth Cystennin (gweld arwydd y Groes yn awyr y nos a wnaeth), mae'n amlwg ei fod yn benderfyniad gwleidyddol hefyd. Yn y flwyddyn 303, roedd yr Ymerawdwr Diocletian yn gwahardd Cristnogion o fod yn aelodau o'i fyddin – nid oeddynt yn gwneud dim ond creu helynt. Wedi'r cyfan roedd cannoedd wedi gwrthod ymuno â'r fyddin nid yn unig am fod eu Gwaredwr wedi eu hatal rhag cario'r cleddyf, ond oherwydd nad oeddynt chwaith yn barod i blygu glin i neb arall. Roedd ganddynt arweinydd cwbl wahanol. Ond erbyn y flwyddyn 416, ar orchymyn Cystennin, roedd yn rhaid bod yn Gristion i gael ymuno â'r fyddin. Roedd yn newid cwbl syfrdanol. Ni chyhoeddwyd erioed fuddugoliaeth seiliedig ar gyfaddawd mor fawr. Fel yr oedd Cristnogion yn dathlu diwedd erledigaeth a dechrau cyfnod o faner Crist yn cyhwfan uwchben ymerodraeth fawr Rhufain, nid oeddynt yn sylweddoli bod Pedr bellach, wedi anghofio gorchymyn ei Feistr iddo yn yr ardd, yn cael tynnu ei gledd o'r wain. O hyn ymlaen, gan ddechrau gydag Awstin Sant (m. 430), aeth diwinyddion ati i geisio diwinydda o fewn y gyfundrefn ac i geisio cyfiawnhau'r gyfundrefn dreisgar honno drwy ddefnyddio'r Beibl a defnyddio bywyd Iesu ei hun hyd yn oed i gyfiawnhau eu diwinyddiaeth.

Cyfiawn?

O'r dechrau, cyfaddawd llwyr fu damcaniaeth y rhyfel cyfiawn. Y gwir ydyw, er i'r ddamcaniaeth hon fod yn un a dderbyniwyd gan yr eglwys o bob traddodiad bron, nid oes unrhyw gorff eglwysig wedi cyhoeddi yr un rhyfel yn un cyfiawn **cyn** i'r rhyfel hwnnw ddechrau. Wedyn, i gyfiawnhau'r awdurdod, y mae'r eglwys wedi gwneud hynny, a gwneud hynny dim ond i gyfiawnhau'r awdurdod hwnnw. Efallai i'r cyfaddawdu llwyr a chynnar hwn gyrraedd ei benllanw gyda geiriau Sant Bernard o Clairfaux (awdur yr emyn, 'Pêr fydd dy gofio Iesu da') a ddywedodd fod milwr Crist yn sicr, pan fo'n lladd, ei fod yn lladd gyda Christ: gweithredu ar ran Crist y mae i ladd y drwg. Yn y geiriau hynny, a llawer o eiriau eraill tebyg, roedd Iesu'r Iddew di-drais wedi mynd yn Gesar yn hytrach nag yn Grist.

Ni fu damcaniaeth y rhyfel cyfiawn erioed yn un y gellid ei chyfiawnhau drwy ddweud ei bod yn fynegiant o feddwl Crist, ac erbyn hyn – yn yr oes niwclear a'r oes sydd wedi ei llwyr filtiareiddio – ni ellir ar unrhyw gyfrif ei chyflwyno i gyfiawnhau trais ar y raddfa y mae'n bod bellach. A bod yn deg, roedd yna ganllawiau ac amodau pendant i wneud rhyfel yn rhyfel cyfiawn, ac ar y pryd roedd iddynt ddilysrwydd. Erbyn hyn, fodd bynnag, maent yn gwbl ddiystyr: er enghraifft, dim ond milwyr all ryfela; mae'n rhaid diogelu'r diniwed a'r dinasyddion cyffredin; mae'n rhaid i'r dioddefaint a grëir drwy ryfel fod yn gymesur â'r anghyfiawnder a fu'n gyfrifol am ddechrau'r rhyfel yn y lle cyntaf. Mewn oes niwclear pan fo arfau mor ddinistriol wedi cael eu datblygu i'w rhoi yn y ddaear yn ogystal ag i'w gollwng o'r awyr, gan gynnwys arfau cemegol, ni chedwir yr ail amod hyd yn oed na'r trydydd chwaith. Nid milwyr sydd bellach yn dioddef fwyaf mewn rhyfel ac o effeithiau rhyfel, yn unol â'r amod cyntaf uchod, ond dinasyddion cyffredin. Sut felly mae gwahaniaethu rhwng 'rhyfel' ac 'effeithiau rhyfel' dros y tymor hir?

Shalom

Erbyn hyn mae unrhyw un sy'n coleddu'r safbwynt heddychol yn cael ei ystyried yn naïf ('Fe fyddai'n neis iawn bod yn heddychwr, ond...'); ac nad oes modd cynnal safbwynt o'r fath mewn cyfnod cymhleth fel hwn. Y gwir yw bod y rhai sy'n feirniadol o'r safbwynt heddychol yn camddeall y safbwynt hwnnw yn llwyr. Mae Walter Wink, y diwinydd Americanaidd, wedi mynnu bod rhaid i ni newid o ystyried heddychiaeth fel ffordd o beidio â rhyfela, o beidio â dial ac o beidio â lladd, gan fod hynny, meddai, yn symleiddio neges Iesu ac yn peri i Gristnogaeth swnio'n negyddol. Efallai yn wir fod angen cael gwared â'r gair 'heddychiaeth' oherwydd ei gysylltiad hanesyddol â rhai o'r eneidiau prin hynny sydd wedi llwyddo i fyw'r ddelfryd o fod yn dangnefeddwyr. Rhai fel rhieni Waldo Williams ('Gwyn eu byd tu hwnt i glyw, Tangnefeddwyr, plant i Dduw') a George M Ll Davies; ond mae'n amheus a yw'n air i'r mwyafrif meidrol. Nid yw'n air Beiblaidd chwaith ond mae'r gair 'tangnefedd' yn air Beiblaidd, ac yn air sy'n cyfleu rhywbeth llawer mwy na heddychiaeth. Mae *Shalom* Duw yn fynegiant o undod, cytgord a chyfanrwydd Duw ei hun. Y *Shalom* sy'n cael ei chwalu yn gyson gan drais ac anghyfiawnder.

Mae 'Shalom' yn un o eiriau mawr y Beibl, gair sy'n ein hatgoffa unwaith eto o Iddewiaeth Iesu. Wrth feddwl amdano fel Iddew di-drais mae'n bwysig ein bod yn sylweddoli hefyd mor gamarweiniol yw'r meddwl gor-syml sy'n sôn am Dduw rhyfel yn yr Hen Destament a Duw cariad yn y Testament Newydd. Dylanwad cefndir Iesu yn fwy na dim arall sydd ar y Gwynfydau, er enghraifft. Yn ei gyfrol, *Iesu'r diwinydd Iddewig'*, mae Brad Young yn atgoffa'r darllenydd fod Iesu wrth 'gyflawni'r gyfraith' (ac 'nid ei thorri' – dyna eiriau Iesu ei hun) wedi mynd yn ddwfn i galon *Shalom* ac wedi gweld bod y weledigaeth yn torri trwodd yn gyson yn y Salmau a'r proffwydi – gweledigaeth a âi ar goll yn aml yn amgylchiadau'r dydd. Mae Salm 24, er enghraifft, yn sôn am y 'pur o galon' yn union fel y mae geiriau fel 'heddwch', 'trugarog' a 'maddeuant' yn britho'r Salmau i gyd. Mae llyfrau'r proffwydi mawr wedyn yn gyforiog o eiriau a delweddau sy'n mynd â ni yn agos iawn at ysbryd Iesu: y proffwyd Eseia yn dweud, er enghraifft: 'Ti a gedwi mewn tangnefedd heddychol yr hwn sydd â'i feddylfryd ynot Ti.' (Eseia 26, 3). Mae geiriau o'r fath wedi hau had cynhaeaf y 'Bregeth ar y Mynydd'.

Mae'n rhaid ymwrthod yn llwyr â damcaniaeth trais achubol, meddai Walter Wink (dyna ei ffordd ef o ddisgrifio trais cyfiawn). Mae trais ar ei waethaf, meddai, pan fo'n llwyddo. Y tristwch yw ei fod yn rhoi'r argraff yn y tymor byr ei fod yn llwyddo. Mae digon o enghreifftiau diweddar yn cadarnhau hyn. Ar un llaw bu'r ymladd a'r bomio yn llwyddiant yn gyrru byddin Slobodan o Kosova ond, er hynny, nid ydynt wedi mynd i'r afael â gwir argyfwng y wlad honno gan iddynt adael etifeddiaeth o gasineb, dial a gwrthdaro. Mae'r un peth yn wir am Chechnya: roedd gan Rwsia y grym i ddifa Chechnya â'r gred y byddai hynny yn rhyddhau Rwsia o beryglon y gelynion oddi mewn. Porthwyd y gred hon gan boblogrwydd ymddangosiadol y rhyfel ymysg pobl Rwsia.

Dwysáu'r peryglon a wnaeth y dinistr er bod Nato a Rwsia yn credu bod eu hymateb treisgar wedi ei gyfiawnhau. Ac iddynt achub y bobl â thrais. Dyma'r hyn a olygir wrth 'drais achubol'. Ond dulliau gwrth-Gristnogol a gwrth-Iddewig ydynt sy'n tanseilio cred yn Nuw.

Ffordd Crist

Nid ymwrthod â rhyfela yw safbwynt Iesu, ond cyhoeddi bod teyrnas Dduw yn deyrnas ddi-drais. Er iddo alw Selotiad ac aelod o garfan wrthryfelgar Iddewig fel Jiwdas i'w ddilyn, fe wrthododd yn llwyr ei ddull o weithredu ac, er iddo gydnabod awdurdod a grym Cesar, cyhoeddodd fod teyrnas Dduw yn deyrnas gwbl wahanol. Buasai rhyfel sanctaidd yn rhan o'r meddylfryd Iddewig ers canrifoedd (ac mae rhyfel sanctaidd yn wahanol i ryfel cyfiawn) ond ar ebol asyn yn ôl un o'r proffwydi (Sechareia 9, 9) ac nid ar farch rhyfel y daeth Iesu i Jeriwsalem yn arwydd o dangnefedd. Yn ystod wythnos olaf ei fywyd wrth ddathlu'r Pasg gyda'i bobl, dangosodd Iesu yn ddigon clir fod y Duw a arweiniodd ei bobl i ryddid yn Dduw sydd hefyd yn rhyddhau dynoliaeth gyfan o'r gormes sy'n caethiwo a'r trais sy'n dinistrio. Mae croeshoeliad Iesu yn ymwrthod yn llwyr â grym teyrnasoedd daear. Yma mae'r neges a'r weithred yn un. Nid Gandhi ond Iesu yw arwr mawr y ffordd ddi-drais. Mae ei farwolaeth yn tystio i hynny, ac fe gafodd y rhai a feiddiodd gredu hynny yr enw dirmygus, 'Cristnogion'. Dyna pam y dywed Wink fod 'Cristnogion' yn wir yn well gair na 'heddychwyr' gan fod Crist ei hun yn llawer mwy na heddychiaeth. Nid yw bywyd a gweithredu di-drais byth yn methu â datguddio teyrnas newydd Duw i'r byd. 'Ef yw ein heddwch ni', meddai Paul (Effesiaid 2). Nid yw'r eglwys yn wir wedi dechrau byw y deyrnas ar y lefel hon eto. Mae'n sicr iddi geisio gwireddu rhai agweddau ar fywyd y deyrnas a gwneud hynny yn arwrol ac yn gyson yn ei gofal a'i chydymdeimlad a'i chariad tuag at y gorthrymedig a'r dioddefus ac, er bod y ddameg yn beirniadu crefyddwyr, fe ellir dweud gyda gwyleidd-dra fod yr eglwys ar hyd y canrifoedd wedi ceisio gweithredu fel y gwnaeth y Samariad trugarog. Ond oherwydd iddi gyfaddawdu â theyrnasoedd daear, nid yw wedi llwyddo i fynd i mewn i galon ddi-drais teyrnas Dduw. Mae hynny yn rhan o dristwch hanes ac o fethiant yr eglwys.

Yn llawer o'r ysgrifennu a'r dadansoddi a fu ddiwedd yr ugeinfed ganrif, cyfeirir at yr ugeinfed ganrif fel yr un fwyaf gwaedlyd a threisgar erioed. Yn ôl papur newydd yr *Observer*, 12 Rhagfyr 1999, honno oedd y ganrif a laddodd heddwch, ac nid oes dim amheuaeth am hynny. Yn ystod yr ugeinfed ganrif bu dau Ryfel Byd a'r honiad a wnaed oedd bod y naill yn rhyfel i ddiweddu rhyfel a'r llall yn rhyfel i wneud y byd yn fyd mwy diogel. Ni wireddwyd yr un o'r ddau honiad ac y mae'r byd heddiw wedi ei arfogi a'i baratoi at ryfel yn fwy nag erioed o'r blaen. Bu cynnydd mewn pob math o arfau gan gynnwys arfau niwclear, a hynny i'r fath raddau fel mai un term militaraidd a ddefnyddid yn y saith degau oedd 'MAD' – *Mutually Assured Destruction*! Tra bo'r geiriau hyn yn cael eu hysgrifennu mae o leiaf 30 o ryfeloedd yn y byd ac er bod y mwyafrif ohonynt yn rhyfeloedd cartref, mae'r difa a'r dinistr yn ddychrynllyd: mae'r marwolaethau yn Rwanda, Algeria, Afghanistan ac yn Bosnia yn ystod y naw degau yn unig wedi cyrraedd y miliynau. Yn yr ugeinfed ganrif yn unig lladdwyd 107 miliwn mewn rhyfeloedd (llawer mwy nag a gollwyd yn y canrifoedd cyn hynny gyda'i gilydd). Ffaith fwy dychrynllyd byth yw i 53.9 miliwn o ddinasyddion cyffredin gael eu lladd yn y rhyfeloedd hyn yn ystod yr ugeinfed ganrif. Ac mae rhai Cristnogion yn parhau i sôn am ryfel cyfiawn!

Mewn cyfnod fel hwn mae neges y Crist di-drais yn dod yn fwy o efengyl nag erioed, a'r her a'r cyfrifoldeb mwyaf i eglwys y trydydd mileniwm fydd ceisio cyfannu'r rhwyg rhwng bywyd Iesu a'i ddysgeidiaeth, oherwydd yn y rhwyg honno y mae'r bygythiad mwyaf i Gristnogaeth. Y cyfannu hwn sy'n dod ag Iesu'r Iddew i'r golwg.

Mae'r trais a'r dicter a'r dyhead am rym yn un o arwyddion cyntaf bod dyn wedi pellhau oddi wrth ei Dduw. Fel Iddew fe wyddai Iesu hynny. Dyna yw'r symud o Ardd Eden i hanes Cain ac Abel. Lladd yw canlyniad cyntaf y cwymp! Wedi iddo droi cefn ar Dduw y bydd dyn yn gallu lladd. Aeth Cain o Eden i'r dwyrain yn llofrudd ar ffo ac oherwydd hynny byd 'yn llawn trais' yw'r byd a ddisgrifir yn nyddiau Noa (Genesis 6, 11). Collwyd y *shalom*. Dyheu amdano a wnaeth y proffwydi a chyhoeddi ei fod ar fin cael ei adfer wnaeth Sechareias a Mair ganrifoedd yn ddiweddarach ar ddechrau Efengyl Luc: 'cyfeirio ein traed i ffordd tangnefedd', meddai Sechareias. Mae'n gylch dieflig na all dyn ei ryddhau ei hun ohono. Ar un llaw, mae'r trais ynom yn rhan o wead ein bod, ac ar y llaw arall, fe wyddom nad yw dynion erioed wedi llwyddo i'w reoli heb sôn am ei atal. Yna, i dynhau'r cylch, mae trais yn ddieithriad yn magu trais.

Diwylliant di-drais

Mae degawd cyntaf yr unfed ganrif ar hugain wedi cael ei neilltuo gan UNESCO i fod yn ddegawd y diwylliant di-drais ac mae mudiadau eraill drwy'r byd, fel Oxfam, Cyfanfyd, CND a Chymdeithas y Cymod Ryngwladol, wedi ymuno yn y rhaglen. Mae byd treisgar a byd o ryfeloedd yn gynnyrch diwylliant sydd drwyddo draw yn ddiwylliant trais, ond mae Iesu o Nasareth yn mynd i'r afael â'r trais sydd ynom. Dyna pam y mae'n rhoi cymaint o bwyslais, nid yn unig ar beidio â lladd, ond hefyd ar beidio â chasáu; nid yn unig ar beidio â dial ond hefyd ar beidio â magu dicter. Fel Iddew fe wyddai Iesu fod ei bobl wedi byw ar gefndir o drais a rhyfela ac roedd yr angen i'w rhyddhau o'r hanes hwnnw yn angen cwbl dyngedfennol i ddyfodol ei bobl. Dyna pam y mae'n wylo wrth edrych ar Jeriwsalem a dyma, efallai, un o'r golygfeydd mwyaf ingol yn hanes wythnos croeshoelio Crist. Mae Gethsemane yn ingol, mae'r Swper Olaf yn ingol, ond mae'r wylo wrth edrych ar Jeriwsalem yn cyfleu dagrau Duw ei hun. Dagrau nid yn unig dros hanes treisgar ei bobl, ond dros hanes treisgar ein gwareiddiad: 'Pe bait tithau, y dydd hwn, wedi adnabod ffordd tangnefedd – ond na, fe'i cuddiwyd rhag dy lygaid. ' (Luc 19, 42).

Mae'r diwylliant trais wedi treiddio i bobman ac nid oes fywyd nac aelwyd, na chymuned na gwlad lle nad yw'r trais hwn wedi troi y gymdeithas yn gymdeithas o ofn ac o alar. Mae'r trais hwnnw yn beth cyfarwydd mewn rhai dinasodd a rhai strydoedd, ond pan fo plentyn deuddeg oed yn llosgi ei ffrind i farwolaeth â phetrol a'r NSPCC yn cyhoeddi (Ebrill 2000) bod un plentyn yn marw bob pythefnos ar aelwyd ym Mhrydain o achos trais yn y cartref, yna mae'n rhaid ailgyfeirio'r diwylliant yn llwyr. Nid mater i'r ychydig ydyw bellach.

Mae'n rhaid felly i'r eglwys dystio i'r ffordd ddi-drais yn gyson ac yn ddigyfaddawd. Perygl mwyaf yr eglwys yw bodloni ar fod yn dawel. Dadrithiwyd llawer o bobl ifanc a gafodd eu hanfon i ryfeloedd gan wlad ac eglwys. Yn y gyfres deledu, *Cymru 2000*, dyfynnodd Merfyn Jones soned William Oerddwr, un o filwyr y Somme, a gafodd Feibl yn anrheg gan ei eglwys ar ôl dychwelyd, soned sy'n gorffen â'r cwpled:

> 'Syrffedais gymaint ar eu rhodd a'i thruth
> Nes oedi agor clawr fy Meibl byth.'

Mae'n ddadrithiad llwyr o gymdeithas a oedd yn honni dilyn Iesu. Ond dyna hanes yr eglwys: llef ddistaw fain oedd y llef yn yr Almaen yn erbyn gormes Hitler, a llef ddistaw oedd y llef yn Serbia Gristnogol yn erbyn Slobodan. Cadw'r *status quo* yw'r patrwm, a chynnig caplaniaeth i'r fyddin, caplaniaeth y mae'r eglwys wedi ei chynnal er dyddiau Cystennin. Nid beirniadaeth ar gaplaniaeth y lluoedd arfog yw dweud hynny. Yn ei hanfod mae caplaniaeth yn rhannu ac felly yn chwalu – Duw a Chesar. Teyrnas gyfan gron yw teyrnas Crist. Mae'n ceisio gwahaniaethu rhwng yr Iesu cynhwysol sydd â'i ofal yn fawr dros bob un, beth bynnag ei safle neu ei sefyllfa, yn filwr neu yn fynach, a'r Iesu sy'n gwybod bod byw bywyd cwbl ddi-drais yn hanfod teyrnas y Tad. Nid yw Iesu yn dibynnu ar na hawl nac awdurdod neb, heb sôn am ganiatâd, i fod mewn unrhyw fan. Ar hyd y blynyddoedd bu'r eglwys yn llawer mwy parod i ddyfynnu, 'Ni allwch wasanaethu Duw a mamon' nag i ddyfynnu 'Eiddo Cesar i Gesar, eiddo Duw i Dduw.' Y rheswm dros hynny yw bod y geiriau am Grist a Chesar yn fwy anodd i'w gweithredu. Fe gafodd y diweddar Archesgob Runcie ei feirniadu gynt gan Margaret Thatcher am weddïo dros y gelyn ar ôl rhyfel y Falklands – a gwneud hynny yn Eglwys Gadeiriol Caergaint, eglwys sydd i Mrs Thatcher yn dystiolaeth i'r Ymerodraeth Brydeinig lawn gymaint ag ydyw i'r efengyl. Petai pob esgob a phob aelod o'r Eglwys Anglicanaidd wedi ei gefnogi, fel y dylent fod wedi ei wneud, a goleuo Mrs Thatcher ar bwrpas ac ystyr gweddi heb sôn am deyrnas Dduw, fe fyddai wedi bod yn esiampl ardderchog o ufuddhau i Grist, nid i Gesar. Yr un pryd, yng Nghymru, fe fethodd Cytûn Cymru â gwrth-wynebu'r ffolineb hwnnw dros ddarn o ddiffeithwch.

Mae gweithredu di-drais yn ddull o fyw a gweithredu sy'n treiddio i bob rhan o fywyd y sawl sy'n ei arddel. Mae'r Crynwyr wedi bod yn cynnal gweithdai ar fyw di-drais ers blynyddoedd lawer fel y mae llawer mudiad heddwch arall erbyn hyn. Oherwydd nid rhyw syniadau ac egwyddorion yw bod yn ddi-drais, ond ffordd gyfan o fyw. Ond mae rhai egwyddorion sylfaenol ynghylch gweithredu di-drais y mae'n rhaid eu pwysleisio:

• Nid ateb hawdd i drais y byd ydyw, oherwydd ni all fyth fod yn ffordd fyrdymor. Ffordd hirdymor ydyw.

• Mae'n ddisgyblaeth sy'n ein galluogi i reoli teimladau ac ofnau ac emosiynau.

• Mae'r person sy'n byw y ffordd ddi-drais yn barod i ddioddef a derbyn popeth, heb daro'n ôl na defnyddio trais geiriol i fygwth neb.

• Mae'n mynnu ein bod yn ymwneud gyda pharch, cwrteisi a goddefgarwch â phawb y down i gyfarfyddiad neu i wrthdrawiad â hwy.

• Mae'n hanfodol i fywyd personol, teuluol, cymunedol a chenedlaethol.

• Mae'r ffordd ddi-drais yn ffordd y bydd yn rhaid ei gweithredu yn y pen draw: ffordd o newid y byd ydyw ac nid ffordd o beidio â gwneud dim.

• I'r Cristion mae byw'r bywyd di-drais yn golygu perthynas agos â Duw mewn gweddi a myfyrio cyson ar Iesu'r Iddew.

Kenneth Slack a ddywedodd ei bod yn rhaid gweithio fel pe na bai'r fath beth â gweddi, ac yn rhaid gweddïo fel pe na bai'r fath beth â gweithio. Roedd Kenneth Slack hefyd yn cofio geiriau enwog Dag Hammarskjold, Ysgifennydd Cyffredinol enwocaf y Cenhedloedd Unedig, a ddywedodd fod y ffordd i weithredu yn arwain drwy weddi, a dyna pam y mynnodd gael ystafell dawel yng Nghanolfan y Cenhedloedd Unedig. Mae'r blynyddoedd olaf wedi gweld yr ysbrydolrwydd gweithredol hwn yn cael ei fynegi yn groyw.

Gweithio

Fe gyhoeddwyd cyfrol yn 1999 yn sôn am wahanol ffyrdd o weithredu'n ddi-drais a hau hadau heddwch a chymod yn ein byd. *People Building Peace* yw teitl y gyfrol a gyhoeddwyd ar y cyd gan Ganolfan Gwahardd Gwrthdaro a Chymdeithas y Cymod. Mae ynddo 35 o enghreifftiau o bobl a mudiadau yn gweithredu polisïau di-drais mewn gwahanol fannau, o Ogledd Iwerddon i Bosnia, o Balesteina i Sri Lanka. Mae'r rhai sy'n ymwneud â'r ymdrechion hyn yn hyderus fod gwleidyddiaeth newydd ddi-drais yn datblygu. Nid yw'r patrymau hyn yn gwneud penawdau papurau, oherwydd nid yw'r gweithredu tawel yn ddeunydd newyddion fel y mae trais. Breuddwyd i Eseia'r Iddew oedd 'ni ddysgant ryfel mwyach'; i Iesu rhodd o ras Duw ydoedd, oherwydd nid rhywbeth i'w greu yw heddwch ond rhywbeth i'w dderbyn a'i fynegi drwy fywyd cwbl ddi-drais. Mae'n werth nodi dwy enghraifft o'r gyfrol sy'n profi bod Iesu'r Iddew ar waith yn sefyllfa ffrwydrol y Dwyrain Canol.

a) **Plant yn dysgu Plant.** I'r gogledd o Ddyffryn Sharon yn Givat Haviva mae canolfan Arabaidd-Iddewig lle mae cynifer â 50,000 o blant yn dod yn flynyddol dan gyfarwyddyd Arab ac Iddew i'w dysgu ei gilydd sut i fyw yn ddi-drais mewn byd o wrthdaro.

b) Canolfan yn Jeriwsalem yw **'Goddefgarwch'** lle mae pobl ifanc – Iddewon, Cristnogion a Mwslemiaid gyda'i gilydd – yn dod i ddysgu am gerddoriaeth ac i'w pherfformio. Mae'r gwersi canu a'r gwersi offerynnol yn cynnwys hyfforddiant i wrando ac i gydweithio â goddefgarwch. Mae Cronfa Abraham wedi buddsoddi pum miliwn o ddoleri i sefydlu gweithgarwch tebyg yn Namibia, Eritrea, Cambodia ac El Salvador.

Yma, yn dawel, y mae hadau'r deyrnas yn cael eu hau, ac yma y mae'r Iesu di-drais ar waith yn y byd. Mae yno am ei fod yn Iddew cynhwysol di-drais. Mae'r plant a'r bobl ifanc yn yr enghreifftiau hyn yn arwyddion o'r deyrnas. Mae'n syndod cymaint o bobl ifanc ledled y byd sy'n rhan o weithgarwch cymod a heddwch – fe fu Cymro Cymraeg ifanc yn rhan o Dim Heddwch y Balcans yn ddiweddar.

Cymuned eto

Mae'r enghreifftiau hyn o fyw a gweithredu didreisedd yn perthyn i genhadaeth newydd a grymus yn ein dyddiau ni ac maent i'w gweld yng nghanol sefyllfaoedd o wrthdaro a thrais. Prosiectau dros dro ydynt ond mae datblygiad arall mwy parhaol wedi cychwyn er canol yr ugeinfed ganrif. Yn y datblygiad hwn, gwelir egwyddorion Eseia a Hammarskjold yn dod yn rhan o fywyd yr eglwys. Ar ôl yr Ail Ryfel Byd, gyda'r trai ar grefydd gyfundrefnol yn Ewrop a'r Gogledd, daeth twf a datblygiad canolfannau. Roedd y canolfannau hyn yn ymateb i holl effeithiau'r rhyfel ac roedd yn rhaid rhoi lle cwbl ganolog i gymod a heddwch, i weddi ac i gymuned. Dyna yw Bruderhof, Corrymeela, Iona, Taize, a llawer canolfan arall. Maent yn gymunedau gweddi a chymod sy'n ystyried bod efengyl Iesu yn chwalu ffiniau enwadol, diwylliannol a hiliol â neges o gymod a heddwch, ac oherwydd mai cymunedau ydynt, mae'r neges hon yn cael ei byw yn y gymuned yn ogystal â thrwy'r gwaith sy'n deillio o'r ganolfan. Mae miloedd o bobl o bob oed – ond ieuenctid yn bennaf – yn mynd i'r canolfannau hyn. Mae Taize (yn Ffrainc), er enghraifft, yn cynnal Gŵyl Galan yn flynyddol yn un o ddinasoedd y byd, pryd y daw miloedd o bobl ifanc yno i addoli, i gynnal gweithdai ac i ddathlu bywyd y ddinas a'r eglwysi o fewn y ddinas. Mae nifer o ganolfannau tebyg yn yr India hefyd – *ashram* – sydd yn fannau i'r Hindŵiaid, y Mwslemiaid a'r Cristnogion gyd-fyw; ac yn awyrgylch ffrwydrol rhai rhannau o'r India heddiw mae'r angen am ganolfannau o'r fath yn amlwg.

Mae'r canolfannau hyn i gyd yn credu bod *shalom,* cymod a chariad yn hanfod yr efengyl a bod bywyd a marwolaeth ddi-drais Iesu yn ddatguddiad ac yn ddatganiad o hynny. Yn y canolfannau hyn mae'r gwahaniaethau traddodiadol/ enwadol a, hyd yn oed, crefyddol yn diflannu am mai Iesu sydd yn y canol. Yn wir efallai mai datblygu'n ganolfannau o'r fath a wna'r eglwys yn y dyfodol gan gynnig i unigolion, i'n cymdeithas ac i'n byd ffordd wahanol o feddwl ac o fyw; ffordd a fydd yn gwrthsefyll y diwylliant o drais a'r byd o drais yr ydym yn byw ynddo. Go brin bod Iesu di-drais yn fodlon ar gyfyngiadau yr eglwysi traddodiadol ac mae'n darganfod mannau newydd sydd yn union yng nghanol bwrlwm a berw ein byd ac nid wedi neilltuo oddi wrtho.

Ufuddhau

Parhau i gynnal damcaniaeth rhyfel cyfiawn a wna'r gyfundrefn geidwadol eglwysig. Mae'n gwneud hynny ar sail ufudd-dod i'r awdurdod gwleidyddol ac ar sail y gred fod Duw yn Dduw cyfiawn ac nad yw'n goddef pechod. Er mor anodd yw hynny, meddai'r ddamcaniaeth, mae'r Cristion ar adegau yn cael ei alw i godi arfau a rhyfela er mwyn cyfiawnder ac er mwyn gorchfygu'r drwg. Mae'r pwyslais ceidwadol grefyddol yn ystyried na ddylid ymyrryd mewn materion gwleidyddol ond ufuddhau i'r awdurdodau sy'n llywodraethu. Rydym wrth gwrs yn cyffredinoli ac mae digon o enghreifftiau o Gristnogion efengylaidd, ceidwadol sy'n barod iawn i wrthsefyll cyfraith a gweithred anghyfiawn llywodraeth. Mae angen pwysleisio hefyd fod gweithredu dros gyfiawnder a heddwch yn uchel yng ngweithgarwch mudiad fel y Gynghrair Efengylaidd erbyn hyn. Er hynny, fe erys y ffaith nad oedd prinder o arweinwyr crefyddol a oedd yn barod, er enghraifft, i gefnogi'r bomio ar Irac ac i ymresymu mai'r unig ffordd i ddelio ag arweinydd gormesol a threisgar fel Saddam oedd defnyddio'r un iaith a'r un dulliau ag ef, sef rhyfela, bomio a lladd. Y broblem fawr i Gristnogion sy'n defnyddio ymresymiad o'r fath yw bod hynny yn enghraifft mor gwbl sylfaenol o fynd yn groes i holl egwyddorion Iesu!

Duw yn unig

Beth sydd gan agweddau o'r fath felly i ddweud wrthym? Wel, yn un peth, dywedir yn glir bod ein hymddiriedaeth mewn grym arfau ac nid yn Nuw; mae'n gyfaddefiad felly fod yna adegau na ellir ymddiried yn Nuw yn unig ac yn gydnabyddiaeth yr un pryd fod arfau yn rym i ymddiried ynddynt. Mae hyn yn arbennig o wir am arfau niwclear a ystyrir yn rym i 'gadw heddwch yn y byd'. Mae cost Trident yn 1.5 biliwn o bunnoedd yn flynyddol i Brydain. Mae'r gost ynddi ei hun yn anfoesol gan nad oes yna ystyr o gwbl i 'amddiffyn' mewn oes niwclear. Mae'r ymddiriedaeth mewn arfau yn hytrach nag yn Nuw yn ymylu ar fod yn gabledd ac yn eilunaddoliad, ac yn arbennig felly pan fo'r pwyslais ceidwadol mor awyddus i bwysleisio pen Arglwyddiaeth Duw ar bob peth.

Diolch i'r nefoedd fod efengylwyr fel Jim Wallis yn America (a'i gymuned, *Sojourners*; sylwer, cymuned eto) wedi dinoethi rhagrith yr uniongrededd sy'n anwybyddu pwysigrwydd unionweithredu yn ogystal ag uniongredu. A defnyddio'r jargon diwinyddol a ddefnyddia Wallis: mae rhai Cristnogion yn mynnu ac yn honni *orthodoxy* (uniongrededd) gan gredu y gellir ei gyrraedd heb *ortho-praxis* (unionweithred). Ni ellir chwaith wahaniaethu yn y cyswllt hwn rhwng y gweithredu a'r weddi. Mae gweddi yn gallu bod yn esgus dros beidio â gweithredu'r ffordd ddi-drais.

Ar ôl i wledydd de a chanolbarth America weld y grefydd Gristnogol yn cyrraedd ac yn meddiannu rhannau helaeth o'r cyfandir drwy rym cleddyf a'r groes, gwelwyd adwaith yn erbyn hynny yn ail hanner yr ugeinfed ganrif. Uniaethwyd Cristnogaeth â'r grym imperialaidd ac aeth gwerin dlawd yn gaeth i gaethwasiaeth a gormes ac yn Ne America, felly y gwreiddiodd yr hyn a elwir yn 'ddiwinyddiaeth rhyddhad'. Dengys yr efengyl ragfarn o blaid y tlawd a'r gorthrymedig – dyna'r slogan. Yn sgil hynny y datblygodd y gred ei bod yn gyfiawn, mewn rhai amgylchiadau, gwrthryfela yn erbyn y gormeswr, hyd yn oed os golyga hynny wrthryfel treisgar. Yn Nicaragua a Chile a Brazil sylweddolodd rhai arweinwyr crefyddol na allant barhau i fod yn heddychwyr mewn sefyllfa o'r fath. Does dim ond un ffordd o ddelio â Pinochet! Yma yng Nghymru, dan ddylanwad y ddiwinyddiaeth hon, gwelwyd rhai fel yr Athro D P Davies a'r gwleidydd, Dafydd Ellis Thomas, yn cyfaddef na allant fod yn heddychwyr tra pery anghyfiawnder, gan led-awgrymu mai delfryd anghydffurfiaeth farw yw didreisedd a heddychiaeth erbyn hyn.

Arweinwyr gwahanol

Cyn gweiddi 'Amen' i realaeth o'r fath a derbyn bod trais yn anorfod mewn byd fel hwn, mae rhywbeth arall i'w ystyried. Mae esiampl ac arweiniad di-drais Benigno Aquino yn Ynysoedd y Philipinau, San Sui Qui yn Byrma, y Dalai Lama yn Tibet, yr Esgob Belo yn Nwyrain Timor ac, yn fwy na neb efallai, y dystiolaeth Gristnogol yn y chwyldro di-drais yn Ne Affrica, yn brawf nad yw'r y ffordd ddi-drais yn ddylanwad i'w anwybyddu. Rhaid pwysleisio unwaith eto nad rhaglen fyrdymor yw didreisedd ond ffordd galed, ar batrwm Iesu ei hun, sy'n dwyn ffrwyth yn araf. 'Oni syrth y gronyn gwenith i'r ddaear a marw, ni bydd byw.' (Ioan

12, 24). Nid oes dim cyfaddawdu ar ffordd Crist o weithredu.

Pobl y ffordd ddi-drais sy'n gwybod yn well na neb erbyn hyn beth yw ystyr 'cario'r groes' ac ni ellir edrych ar Gristnogaeth nac Iddewiaeth bellach heb eu pwyso a'u mesur yng ngoleuni'r dystiolaeth i'r ffordd ddi-drais a welir yn y Beibl. Dyma'r gwir brawf o ufudd-dod. Dyna pam yr oedd y bennod hon yn dechrau drwy sôn am fethiant y ddwy grefydd fel ei gilydd. Ond i ganol y methiant hwnnw daw rhywun neu rywrai sy'n barod i sefyll, i aberthu ac i'n hatgoffa nad opsiwn hawdd yw'r ffordd ddi-drais.

Mae Mordechai Vanunu yn enghraifft o hynny yn Israel. Fel Iddew disglair, ond, yn ôl ei dystiolaeth ei hun, ymylol iawn yn grefyddol, mae'n ymwybodol bod datblygiadau gwleidyddol Israel wedi ei gwneud mor filitaraidd ag unrhyw wlad arall yn y byd. A derbyn bod sefyllfa Israel yn codi cwestiynau pwysig am amddiffyn, mae'n rhaid gofyn er hynny a yw'r grym sydd ganddi bellach yn gwaethygu'r sefyllfa ac yn gwneud dyfodol y byd yn fwy bregus. Roedd Vanunu'r gwyddonydd yn gwybod bod Israel, mewn cydweithrediad â llywodraeth apartheid De Affrica yn y saith degau a'r wyth degau, wedi datblygu cynifer â dau gant o wahanol arfau niwclear erbyn 1986. Gwelodd y dystiolaeth yng Nghanolfan Niwclear Dimona yn anialwch Negef, ac er mwyn tynnu sylw'r byd at hyn ac at ddatblygiad arfau niwclear yn gyffredinol, cyflwynodd luniau i'r *Times* yn Llundain. Ym mis Mawrth 1988 dedfrydwyd ef i ddeunaw mlynedd o garchar, a hyd yma y mae wedi treulio ei amser i gyd mewn cell unigol ac ar wahân i bawb. Ac yntau'n ddim ond tair a deugain oed, mae yn ôl pob sôn yn edrych fel hen ŵr ac wedi colli ei iechyd ond mae'n dal i gredu – fel Iddew – bod achos heddwch yn ganolog i ddyfodol gwareiddiad ac i werthoedd mwyaf unrhyw genedl. Pan gafodd ei garcharu, ei ymateb oedd nad oes ffiniau na charchardai i'r ysbryd dynol.

Maddeuant

Mae'r hyn sydd wedi bod yn digwydd yn Ne Affrica yn enghraifft arall o oblygiadau ymarferol ac aberthol y ffordd ddi-drais, ac yma eto gwelwn fod torri cylch cythreulig trais yn golygu mwy na phrotestio ac ymgyrchu. Yn hytrach nag wynebu cyfnod o ddial a chosbi ar ôl troseddau apartheid, aethpwyd ati i sefydlu Comisiwn Gwirionedd a Chymod. Am ddwy flynedd, dan gadeiryddiaeth Desmond Tutu, bu'r Comisiwn yn ceisio darganfod sut i weithredu maddeuant am y troseddau a'r lladd a fu. Mewn geiriau eraill, nid yn unig ymwrthod â thrais, ond ymwrthod â'r casineb a'r awydd dial y mae trais yn eu gadael ar ei ôl. Cyfaddefodd cynifer â 7,000 iddynt gyflawni troseddau erchyll a daethant wyneb yn wyneb â'r teuluoedd y troseddwyd yn eu herbyn. Dangoswyd ysbryd edifeirwch mawr gan y mwyafrif ohonynt, a chaniatawyd amnest iddynt. Ymwelodd Tutu ag Israel, â Gogledd Iwerddon ac â Rwanda yn ystod cyfnod y Comisiwn er mwyn cadw mewn cysylltiad â sefyllfaoedd eraill oedd yn wynebu cyfnod newydd yn dilyn cyfnod o drais a gwrthdaro. Mae Tutu yn barod iawn i gydnabod i'r Comisiwn wneud camgymeriadau ond fe fu er hynny yn ddatblygiad rhyfeddol. Pwysleisia Tutu mai un gwirionedd Cristnogol mawr a ddaeth yn fwy amlwg iddo ef drwy waith y Comisiwn oedd sylweddoli, waeth pa mor ddychrynllyd y gweithredoedd a gyflawnwyd, nad yw'r erchylltra fyth yn troi'r gelyn yn ddiafol. Mae'n rhaid dysgu, meddai, bod pob person wedi ei greu ar lun a delw Duw a bod daioni ynddynt cyn bod drygioni. Neges i'w datgan mewn rhai rhannau o America, ble mae dienyddio troseddwyr wedi cael ei adfer a'i hyrwyddo'n frwd. Adfer y da, nid ceisio cosbi'r drwg yw gwaith heddwch, ac yn y gwaith hwnnw mae maddeuant yn gwbl sylfaenol. Mae angen Comisiwn Gwirionedd a Chymod mewn sawl gwlad.

Gweddi enwog Elie Weisel ddydd cofio hanner can-mlwyddiant rhyddhau Auschwitz oedd ar i Dduw madd-euant beidio â maddau. Mae ei eiriau, nid yn unig yn fynegiant o'r ffaith fod casineb a rhagfarn a thrais yn cael eu trosglwyddo o un genhedlaeth i'r llall, ond hefyd yn dod yn rhan o feddwl ac o ysbryd pobl a chenedl. Y gwaith mawr yw newid cof ac ofnau a rhagfarnau pobl. Mae taflu un garreg, lladd un person, dienyddio un troseddwr, yn agor llifddorau trais a dial. Sonia'r Iddew, Albert Friedlander, amdano'i hun, ar ddiwedd un o'i ddarlithoedd ar yr Holocost, yn dod wyneb yn wyneb â hen ŵr a ddaeth ato a dweud ei fod ef yn un o'r gofalwyr yn Auschwitz, a gofyn iddo a fedrai faddau iddo. Ateb Friedlander oedd na allai ef faddau oherwydd yn y grefydd Iddewig ni all Rabi roi maddeuant. Ar ôl deg diwrnod o edifeirwch, mae'n rhaid i'r un sy'n gofyn am faddeuant fynd at yr un y mae wedi troseddu yn ei erbyn i geisio'i faddeuant, meddai Friedlander wrth yr hen ŵr gan ychwanegu na fyddai'n bosibl iddo yntau fynd at y chwe miliwn o Iddewon a fu farw. Na, ni fedrai Friedlander faddau iddo. Ond fe allai Duw.

Teitl cyfrol ddiweddaraf Desmond Tutu, a ysgrifennwyd yng ngholeuni profiad y Comision yw *No future without forgiveness.* Roedd hynny hefyd yn gwbl ganolog yng ngweinidogaeth Iesu o Nasareth a dyna pam nad oedd trais na dial na chosb, heb sôn am ladd, yn perthyn iddo. Gwaredwr di-drais ydoedd. Dyna pam y dywedodd hefyd, 'O Dad, maddau iddynt, canys ni wyddant pa beth y maent yn ei wneuthur'. Mae'r geiriau hynny yn ein hatgoffa unwaith eto fod rhaid i ddilynwyr y grefydd Iddewig, drwy'r Iddew mwyaf ohonynt i gyd, a dilynwyr y grefydd Gristnogol yn ogystal, ddod i sylweddoli na all Duw *shalom* fod yn ddim ond Duw di-drais. Daeth yn hen bryd credu hynny.

PENNOD 6

Dathlu, dawns a chân

Mae addoli yng Nghymru fel bod mewn cyntedd bychan i Eglwys Gadeiriol enfawr. Digon cyfyng, di-liw ac undonnog yw'r cyntedd ac mae Cristnogion Cymru yn mynnu aros yno. Yn yr eglwys mae yna ehangder ac uchder a lliw ac amrywiaeth ac ni all yr Eglwys Gadeiriol hyd yn oed gynnwys y deinamig a'r dychymyg sydd ei angen i addoli gyda Iesu o Nasareth. Galarnad i'r Crist mewn bedd nid dathliad gyda'r Crist Atgyfodedig yw addoli i bob golwg.

*Two cheers i'r oes seciwlar. Mae'r gymuned Iddewig wedi bod
yn OK gyda seciwlareiddio. Dathlu presenoldeb Duw yn y byd
yw bwyta ac yfed a chael amser da. Ond os dyna'r unig beth
sydd i'w ddweud, yna mae lle i boeni.*

– Jonathan Sachs, Prif Rabi, *Soul of Britain*, BBC, Mehefin 4, 2000

*Fe fydd y llyfrau neu'r gerddoriaeth yn ein gwadu os credwn
fod yr harddwch ynddynt; nid ydyw ynddynt, ond fe ddaw
trwyddynt, a'r hyn a ddaw trwyddynt yn fwy na dim yw rhyw
hiraeth… nid ydynt yn ddim ond arogl o flodyn nad ydym eto
wedi ei ddarganfod, adlais o alaw nad ydym eto wedi ei
chlywed, newyddion o wlad nad ydym eto wedi ymweld â hi…*

– C.S.Lewis, *The Weight of Glory*

*Whose conversation
is the aside; whose mind
is its own fountain, who
overflows.*

– R.S.Thomas, 'The God', *Mass for Hard Times*

Roedd Iesu'r Iddew yn addolwr ffyddlon, nid fel mater o ffurfioldeb ac arferiad, ond am mai addoli oedd canol deinamig ei fywyd. Mae popeth ydoedd a phopeth a wnaeth yn tarddu o'r addoli hwnnw, oherwydd nid mater o berthynas fecanyddol â'i Dad oedd ei Arglwyddiaeth. Perthynas fyw a phersonol ydoedd.

Yn aml iawn mae'n ymddangos mai drwy'r addoli yn yr eglwys y mae Cristnogaeth yn colli ei gafael ar bobl yn y lle cyntaf. Cilio o'r addoli yw'r arwydd cyntaf o ddieithrio oddi wrth yr eglwys a cholli gafael ar ffydd. Ar y llaw arall, mae cyfartaledd uchel iawn o'r rhai sy'n arddel aelodaeth o'r eglwys nad ydynt yn gweld yr angen am addoli o gwbl nac yn coleddu'r awydd i wneud hynny, gan ymresymu, mae'n debyg, mai opsiwn i aelodau'r eglwys yw addoli neu beidio. Mae'n hen gŵyn erbyn hyn fod plant a fagwyd yn blant yr eglwys, yn ystyried addoli yn rhywbeth i'w osgoi pan gyrhaeddant yr 11 a'r 12 oed! Yn ystod blynyddoedd y trai, mae nifer gynyddol o blant sydd wedi bod yn mynychu'r Ysgol Sul nad ydynt wedi bod yn rhan o fywyd addoli'r eglwys o gwbl ar wahân i'r achlysuron arbennig. Fe ellid trafod llawer am bwysigrwydd addoli ac am gwestiynau a gyfyd o'r addoli, ond i'r Cristion, fel i'r Iddew, addoli yw hanfod y bywyd ysbrydol.

Efallai mai trychineb fwyaf y rhwyg rhwng Iddewiaeth a Christnogaeth yw bod addoli Cristnogol wedi colli cyswllt â'i wreiddiau Iddewig. Mae'n wir y ceir darlleniad o'r Hen Destament mewn addoliad Cristnogol a bod llawer o bregethu dros y blynyddoedd ar destunau o'r Hen Destament, ond nid dyna yw hanfod perthynas rhwng addoli Iddewig ac addoli Cristnogol. Mae'r eglwysi a adeiladwyd yn y gorffennol yn brawf o bwysigrwydd addoli i'r eglwys Gristnogol a'r gofal a'r paratoi a'r adnoddau yr oedd eu hangen i wneud yr addoliad hwnnw yn ddyrchafol ac yn deilwng. Addoliad, yn fwy na dim, oedd calon y cyfnodau o adnewyddiad sydd wedi bod drwy'r byd – o Bantycelyn i Fryniau Casia. A phan symudodd Anghyd-ffurfiaeth o symlrwydd yr adeiladau plaen i grandrwydd y capeli mawr, rhoi mwy o sylw i addoli oedd y bwriad canolog. Adeiladau i addoli ynddynt oedd y rhain, ac roedd yr addoli yn haeddu'r gorau (yn arbennig os oedd cystadleuaeth!), y gorau o ran addurn ac organ yn arbennig. Mae gweithiau celf a cherddoriaeth y canrifoedd yn ein hatgoffa hefyd fod addoli wedi mynnu'r gorau o allu a doniau dynion a merched. Yng ngwledydd y Gorllewin, ddoe oedd hynny. Mae yr un mor wir i ddweud hefyd fod yr eglwysi sy'n tyfu heddiw yn profi mai yn yr addoliad y mae'r tyfiant hwnnw i'w weld ar ei orau. Yn wir, addoli yw'r prawf o dyfiant a bywyd.

Nid gwaith hawdd yw dadansoddi y cilio o'r addoli. Aeth addoli i lawer yn ddim ond rhywbeth sy'n digwydd mewn adeilad, yn hytrach nag yn rhywbeth sydd yn anadl ac yn egni i fywyd eglwys. I raddau helaeth, dirywiodd yr addoli i fod yn ddim mwy na thraddodiad nad yw'n cyffwrdd â bywyd na phrofiadau dyddiol pobl. Unwaith eto mae'n hawdd iawn cyffredinoli ac fe ellid dweud mai'r bobl eu hunain sydd i'w beio am ansawdd yr addoli gan iddynt droi cefn ar yr eglwysi. Mae angen pobl i addoli! Mae gormod o bobl yn rhy barod i feirniadu'r addoli yn yr eglwysi er nad ydynt wedi cael profiad o'r addoli hwnnw ers blynyddoedd lawer. Mae peryglon eraill o gyffredinoli, ac un o'r rheini yw anghofio bod yna lawer o eglwysi yng

Nghymru a Phrydain lle mae addoli o hyd yn uchafbwynt wythnos, lle mae cynulleidfaoedd mawr, a lle mae blas ar addoli lliwgar a bywiog. Nid rhywbeth i'w anghofio yw bod yna fwy yn addoli ar y Sul ym Mhrydain nag sydd yn gwylio gêmau pêl-droed ar y Sadwrn. Perygl arall cyffredinoli yw na ŵyr neb pa fendith ac ysbrydoliaeth a gaiff yr addolwyr ffyddlon o Sul i Sul; a phwy, wedi'r cwbl, sydd â'r hawl i fesur ac i feirniadu ansawdd addoli?

Fodd bynnag, fe erys y ffaith fod addoli wedi mynd yn arwydd ac yn dystiolaeth o'r dirywiad crefyddol ym mhob rhan o Gymru. Cyfyng iawn yw ein dirnadaeth o addoli ac, yn aml, mae'r addoli hwnnw yn medru dirywio i fod yn ddim ond canu emyn a gwrando ar bregeth, a phan nad oes neb i ganu'r organ na neb i bregethu, yna mae'r addoli yn peidio. Dyna yn wir ddagrau pethau. Unwaith eto, wrth feddwl am addoli, mae'n rhaid i ni ddychwelyd at Iesu'r Iddew.

Ar hyd y blynyddoedd rydym wedi cael ein hatgoffa mai yr unig beth sy'n mynd i adfywio eglwysi Cymru yw diwygiad neu adfywiad. Fe ddywedir yn aml na all unrhyw ymdrechion ar ein rhan ni nac unrhyw newidiau mewn patrymau a dulliau addoli a chenhadu newid dim ar y sefyllfa. Dim ond ymostwng mewn edifeirwch a all arwain i adfywiad. Dyna yw'r ymresymiad. Onid dyma sut y mae Duw wedi gweithredu erioed? Pan fo argyfwng; pan fo sychder a hiraeth ysbrydolyn y tir, yna mae Duw, drwy ei ysbryd, yn adfywio ei bobl. Dyna ateb stoc a chysurlon y saint. Yn y cyfamser mae'n rhaid aros yn amyneddgar ac yn weddigar am amser Duw. Mae amser Duw, yn wir, yn wahanol iawn i amser dyn – ond mae angen ychwanegu rhai pethau eraill. Yn un peth, ac yn un peth eithriadol o bwysig, mae'n rhaid daearu a dychwelyd i ffordd Iesu o addoli gan gofio i honno adfywio'r addoli a oedd wedi mynd ar goll o fywyd yr Iddew. Daeth Iesu â bywyd newydd i addoli'r Iddew.

Dros y blynyddoedd cyfyngodd dadleuon ac ymraniadau diwinyddol ar natur a phwrpas addoli. Daeth y bregeth i dra-arglwyddiaethu ac yn ei sgil y rheidrwydd undonog i argyhoeddi pobl o'u pechod ac aeth addoli ym mhob traddodiad yn batrwm caeth a deddfol. Anghofiwyd rhywbeth hollbwysig, sef addoli yn ffordd Iesu. Mae'n syndod cyn lleied o sylw a roddwyd i hyn yn holl hanes yr eglwys Gristnogol. Digon o sylw i fywyd a geiriau Iesu, ond ychydig o sylw i addoli Iesu. Os nad yw Iesu yn arweinydd sy'n mynd â ni i galon gwir addoliad, yna mae rhywbeth sylfaenol wedi mynd ar goll. Ef bellach sy'n rhoi cyfeiriad a chynnwys i'n haddoli. Y gwahoddiad yw i ni addoli gydag ef, ac mae honno yn weithred lawer mwy grymus ac adnewyddol na chredu nifer o ddogmâu amdano. Mae addoli gyda Iesu yn tanio'r dychymyg, yn plygu'r ewyllys ac yn ein llenwi â rhyfeddod. Dyma yw ystyr cyntaf sôn am 'Grist byw', oherwydd yn yr addoliad y daw yn fwy byw, a dyna pam fod ymateb i'r atgyfodiad yn ymweud yn gyntaf ag addoli ac nid â thrafodaeth ac ymresymiad a dadl. Os nad yw'r atgyfodiad yn brofiad byw yn ein haddoli, ni fydd yn brofiad byw o gwbl.

'Coed y maes yn curo dwylo'

Addoli Duw'r Creawdwr oedd sylfaen pob peth i Iesu. Yn ei eiriau ac yn ei fywyd mae'n anadlu presenoldeb ei Dad. Duw sy'n gweu patrwm ei fywyd ac yn ei gynnal oherwydd mae cynhaliaeth cyfanrwydd bywyd – *holistic*, hynny yw, cyfannu, yw'r gair poblogaidd bellach – yn dibynnu ar i bopeth fod mewn perthynas â'i gilydd. Dyna pam mae'r tymhorau, fel y crybwyllwyd yn y bennod gyntaf, a dathlu'r tymhorau yn ganolog yng ngwyliau'r Iddew a dyna pam nad oeddynt byth yn wyliau diwrnod, ond yn wyliau'n ymestyn weithiau dros ddyddiau lawer. Nid oeddynt yn gyfyngedig i un lle, eithr yn llifo rhwng y cartref a'r synagog, rhwng y deml a'r bererindod, rhwng dweud a gwneud. Nid oes dim tebyg i hyn ym mhatrwn bywyd cyffredin yr eglwysi. Yr Ŵyl Ddiolchgarwch yw'r unig ŵyl yn wir y mae Duw'r Creawdwr yn cael ei gydnabod a'i ddathlu ynddi; ac nid yw'r eglwys wedi bod yn gwbl hapus â'r ŵyl honno. Oherwydd bod crefyddau eraill yn rhoi cymaint mwy o bwyslais ar natur, aeth yr eglwys Gristnogol i ofni'r pwyslais hwnnw. Mae hynny yn gam mawr â'r Gair. I Iesu roedd codiad haul a'i fachlud, lleuad lawn a'r tymhorau yn eu tro; i gyd yn rhan o wead addoliad. Mae'r ceidwadwyr crefyddol am fynnu mai Duw hanes yw ein Duw ni ac mai digwyddiad hanesyddol sydd bwysicaf i addoli Duw. I'r Iddew, fodd bynnag, roedd digwyddiadau hanes a gofal Duw drwy batrwm ei grëad yn un. I raddau pell iawn, diwreiddiwyd addoli Cristnogol o'r addoli cyfan hwnnw. Aeth addoli Cristnogol yn rhy ddeddfol, hanesyddol a syber.

Mae dau beth wedi digwydd yn ystod y blynyddoedd diwethaf sydd wedi cael dylanwad cadarnhaol a dylanwad negyddol yr un pryd ar yr eglwys. Mae'r pwyslais ar gyfanrwydd y cread ac ar ecoleg a materion gwyrdd wedi atgoffa'r eglwys o bwyslais a anghofiwyd ganddi ac o batrymau addoli a aeth ar goll. Mewn gwirionedd, bai yr eglwys ei hun oedd iddi golli'r pwyslais hwnnw gan iddi fod yn fwy cartrefol yn sôn am achub enaid nag am ddathlu a gwarchod cread, fel y cyfeiriwyd yn Pennod 2. Eithriadau yn hanes yr eglwys oedd rhai fel Sant Ffransis a Hildegard o Bingen, dau a ddaeth i amlygrwydd yn ail hanner yr ugeinfed ganrif oherwydd eu pwyslais Iddewig ar y cread. Yn yr un modd daeth y traddodiad ysbrydol Celtaidd i amlygrwydd eto oherwydd bod yr ysbrydolrwydd hwnnw hefyd yn rhoi pwyslais mawr ar Dduw'r Creawdwr, ac felly daeth y Cwlwm Celtaidd i fri newydd fel arwydd o gyfannu ac o gyfanrwydd bywyd yng nghwlwm cariad y Creawdwr. Adwaith negyddol i hyn oedd yr amheuon a'r beirniadu a ddaeth o ochr geidwadol yr eglwys. Maent yn amheus ac yn ddilornus o'r traddodiad Celtaidd ac yn gweld y pwyslais ar Greawdwr a'r Fam Ddaear a gwarchodaeth fel cymysgwch paganaidd sy'n peryglu'r Gristnogaeth bur. Ond mewn gwirionedd mae'r traddodiad Celtaidd yn mynd â ni yn ôl i'r pwyslais Iddewig ac yn ein hatgoffa o wreiddiau ein haddoli yn y traddodiad hwnnw. Ai ofni symlrwydd y cwlwm y mae'r ceidwadwyr? Ai mynnu bod un ffordd derfynol a derbyniol o addoli?

Mae addoli Duw'r Creawdwr yn ymestyn ffiniau addoli. Roedd Paul yn Athen (Actau 17) yn barod i gysylltu'r 'duw nad adwaenir' ar allorau Athen â'r Duw sy'n Greawdwr nefoedd a daear a a'r hwn y mae pawb yn byw, yn symud ac yn bod drwyddo. Mae cred mewn Creawdwr yn ei gwneud yn bosibl addoli'r Duw hwnnw mewn unrhyw fan a chydag unrhyw un, ac er bod yr eglwys wedi mynnu erioed nad oes unrhyw fan na lle sy'n ddigonol i addoli'r Duw byw – fe ddywedodd Iesu hynny ei hun, yn ôl Steffan (Actau 7) – eto ei gyfyngu i adeilad ac i allor a thraddodiad fu hanes addoli. Aeth addoli Cristnogol yn fwy caeth i adeilad, man a lle na'r un grefydd arall ac, ar draws y canrifoedd wrth i Gristnogaeth ymledu, cael ei gyfyngu fwyfwy i un lle neu i un traddodiad fu tynged addoliad. Daeth adeiladau yn arwydd o bresenoldeb Duw, ac fe fu mwy nag un cyfnod pan ddeddfwyd mai yn yr adeiladau hynny yn unig yr oedd addoli. Roedd hyn yn wir am y traddodiad Catholig-Anglicanaidd, ond yn achos Anghydffurfiaeth hefyd aeth 'tabernaclau gras', a oedd i fod yn arwydd o bererin bobl Dduw, yn gymaint o demlau â theml Solomon ei hun.

Ysgrythur

Mae'r Ysgrythur, wrth gwrs, wedi bod yn ganolog yn addoli'r Iddew a'r Cristion. Ond mor aml fe aeth 'Gair y

Duw byw' yn eiriau marw a deddfol yn addoli'r eglwys. Daeth yn arwydd terfynol, ac i lawer yn fynegiant llythrennol, o'r gwirionedd. Crud y Gair yw'r Beibl, ac nid cloriau du i'w gadw. Yn ogystal â hynny daeth cyfrol o lyfrau wedi eu rhwymo – y Beibl – yn arwydd terfynol o bresenoldeb y Duw hwnnw yn hytrach nag yn llyfr taith ei bererin bobl. Aeth yr addoli yn rhy statig, yn rhy drwm ac yn rhy gaeth i eiriau. Wrth ddarllen y Beibl, mae'n amlwg bod y cread cyfan yn deml i'r Creawdwr ac, fel yn hanes Iesu ei hun, mae arwyddion o'i bresenoldeb a damhegion ei gariad i'w gweld ym mhob man. O'r cread hwn y daeth ei iaith a'i ddelweddau. Petaem yn gwneud treigl y tymhorau yn gyfrwng clod, petaem yn gweld coed y maes yn curo dwylo, a phetaem yn gwneud addoli yn ddathlu presenoldeb Duw, yna ni fyddem mor gaeth i'n hadeiladau ac ni fyddai ein haddoli wedi ei gyfeirio at ein hanghenion a'n cyflwr ni ein hunain yn unig. Fe all addoli fod yn hunanol ac yn hunan-ganolog iawn. Pan fydd hynny'n digwydd, yna nid yw cau lle o addoliad o angenrheidrwydd yn drychineb. Adeiladwyd gormod ohonynt beth bynnag. Efallai fod y lle hwnnw wedi peidio â bod yn lle o addoliad byw ers blynyddoedd lawer.

Shabbat Shalom

Roedd Iesu wedi cael ei fagu a'i godi i ystyried y Saboth y bwysicaf o'r gwyliau. Pan fo'r Efengylau yn sôn am y gwrthdaro rhwng Iesu a'r awdurdodau ynglŷn â'r Saboth, mae tuedd i feddwl bod hynny'n golygu bod Iesu yn gwbl ddi-hid o'r Saboth. Ond y gwir yw bod y Saboth yn allweddol i fywyd Iesu fel yr oedd i fywyd pob Iddew. *Shabbat Shalom* oedd y gri. Testun dicter i Iesu oedd bod rhai Iddewon wedi colli gwir arwyddocâd y Saboth ac wedi mynd i roi pwyslais ar yr elfennau negyddol yn unig.

Nid oes cymhariaeth rhwng y Saboth Iddewig a'r Sul Cymreig oherwydd mae'r Saboth yn dechrau ar fachlud haul nos Wener gyda gwledd a gwin da, yn arwydd i bob teulu mai prif waith y Saboth yw dathlu rhodd o fywyd ac iddynt neilltuo amser i'r dathlu hwnnw. Mae'n bedair awr ar hugain o ŵyl! Roedd hefyd yn ŵyl a oedd yn dathlu rhyddid i bawb (yn Jiwbilî wythnosol) ac yn adfer rhythm i fywyd. Gwarchod hynny oedd pwrpas canllawiau dathliad y Saboth. Pan gyhuddwyd Iesu o dorri'r Saboth drwy iacháu (Luc 6, 6), roedd yn awyddus i atgoffa ei gyhuddwyr mai gŵyl o blaid bywyd ac i adfer bywyd oedd y Saboth. Roedd y Saboth felly yn dathlu rhodd bywyd drwy ddiolch i'r Rhoddwr, ond roedd hefyd yn ŵyl wythnosol a oedd yn dathlu Duw'r Creawdwr. Roedd yn fynegiant o'r ffaith nad bywyd unigol a phersonol yn unig yw bywyd, ond bywyd teulu a chymuned a chenedl a'r ddynoliaeth gyfan. I Bobl Dduw, mae rhywbeth llawer mwy na'r milflwyddiant i'w ddathlu a hynny yn wythnosol. Dydd o dân gwyllt a phartïon yw'r Saboth. Mae'n werth cofio a phwysleisio bod yr Iddew yn y cyfnod mwyaf tywyll – hyd yn oed yn Auschwitz – yn mynnu dathlu'r Saboth a gwneud hynny gyda chymaint o steil ag a oedd yn bosibl mewn amgylchiadau o'r fath. Roedd yn ddathlu bywyd wyneb yn wyneb â marwolaeth a dathlu goleuni yng nghanol tywyllwch. Dyma yn aml dristwch ein haddoliad: mae'n ddigalon a negyddol ar yr union amser pan ddylai fod yn fwy calonogol a chadarnhaol nag erioed! Ym mlynydd-oedd y dirywiad, aeth addoli ar adegau yn ddim mwy na chadw defod. Rhywbeth yn gysylltiedig â chadw'r Sul ydyw ac yn aml aeth yn ddu ac yn faich. Diflannodd y dathlu, a daeth y dirywiad. Aeth yn gysylltiedig ag oriau yn hytrach nag â gŵyl.

Er mor gywir a diffuant oedd bwriad yr ymgyrchwyr, nid oes amheuaeth na fu i'r ymgyrch cau'r tafarnau ar y

Sul ddwysáu'r darlun o'r Sul traddodiadol Gymreig fel Sul du a dwys yn hytrach na dydd dathlu a rhyfeddu. Ni wnaeth yr ymgyrch ddim lles i dystiolaeth yr eglwys oherwydd roedd yn cynnal delwedd o'r eglwys yr oedd angen ymwrthod â hi yn derfynol. Wrth geisio gwarchod fe gollwyd ysbryd gŵyl.

Mae'r diwinydd, Gheiko Muller-Fahrenholz, wedi dadlau yn ddiweddar (*God's Spirit*, 1996) fod angen i'r gorllewin Cristnogol ddychwelyd at wir wreiddiau'r Saboth, ac mai'r ffordd i wneud hyn yw adfer Saboth-Sul fel gŵyl sy'n cyfannu'r Saboth gwreiddiol a'r Sul Cristnogol. Fe fyddai gŵyl Saboth-Sul yn dod â'r cyfan at ei gilydd: dathlu'r creu a'r Creawdwr, y croeshoeliad, yr atgyfodiad, bywyd newydd a dechrau newydd. Efallai fod ein Sul a'n haddoli yn adlewyrchu mor denau y gall cynnwys ein cred fod ac mor fychan yr aeth ein hamgyffrediad ohoni a'n hymateb iddi.

Mae gofynion addoli, felly, yn fawr oherwydd mae cymaint i'w ddathlu. Ni ellir meddwl am addoli yn nhermau yr ychydig yn dod ynghyd, ond fel gweithgarwch sy'n cynnal ac yn hybu bywyd cenedlaethol, cymunedol a theuluol yn ogystal â bywyd personol. Mae addoli, fel y dywedodd Waldo, yn creu byd! *God's presence makes the world* yw teitl un o lyfrau A M Alchin, cyfrol arall ar Gristnogaeth Geltaidd. Dathlu'r presenoldeb hwnnw yw addoli. Dyma gyfoeth mawr addoliad Iesu'r Iddew. Nid yn gymaint y twf masnachol a diflaniad llwyr yr hen Sul yw'r gelyn mawr i'r Saboth-Sul erbyn hyn, ond yr unigolyddiaeth sydd wedi tanseilio gwerthoedd cymunedol. Mae peryglon parhaus i'r eglwysi fynd, fel yr aeth y gymdeithas eisoes, yn ddim mwy na chasgliad o unigolion. Aeth yr eglwysi yn fwy o ganolfannau i'r ffyddloniaid yn hytrach nag yn fannau sy'n hybu a dathlu bywyd cymuned gyfan fel y gwnâi'r synagog yn nyddiau Iesu.

Bro a bywyd

Mae Ysgrythur yr Iddew yn y lle cyntaf yn sylfaen ac yn gyfrwng addoliad, yn gronicl o hanes y genedl ac yn gyfarwyddyd ac arweiniad i Bobl Dduw ym mhrofiadau eu bywyd cenedlaethol yn ogystal â'u bywyd personol. Mae amrywiaeth aruthrol o fewn cloriau'r Hen Destament sy'n rhychwantu canrifoedd lawer ac yn adlewyrchu addoli'r bobl mewn gwahanol amgylchiadau a gwahanol anghenion. Dyna pam mae cymaint o amrywiaeth yn y Gair, a'r amrywiaeth hwnnw yn gyfrwng i ddyfnhau addoli Pobl Dduw. Nid yw'r un amrywiaeth yn y Testament Newydd a hynny am ddau reswm. Yn un peth cyfnod byr iawn yw cyfnod y Newydd o'i gymharu â'r Hen. Yn ail, mae'r Newydd yn cymryd yn ganiataol fod y Newydd yn rhan o'r Hen ac ni fwriadwyd erioed iddynt fod ar wahân. (Mae hanes yr Iddew a'r Cristion yn dod â llyfrau'r Beibl at ei gilydd yn un gyfrol yn hanes maith a diddorol, ond stori arall yw honno!) Mae un gwahaniaeth sylfaenol wrth gwrs rhwng yr Hen a'r Newydd ac fe fyddwn yn dychwelyd at hynny. Ond mae addoliad y Testament Newydd yn barhad o'r un addoliad, ac o'r addoliad hwnnw y mae'r eglwys yn derbyn ei hysbrydoliaeth a'i harweiniad. Mae'n bwysig felly i ni gael ein hatgoffa o'r ffurfiau a'r cyfryngau addoli sydd yn yr Hen Destament.

Patrymau

I'r Iddew, roedd adrodd hanesion o'r gorffennol yn allweddol i addoli ac yn 'cadw'r chwedlau'n fyw'. Yr Ysgrythur oedd addysg sylfaenol pob plentyn, ar yr aelwyd, yn y synagog ac yn y deml. Nid oedd angen mwy na dweud 'yr Arglwydd a'u cynhaliodd' neu 'Bendigedig fyddo Duw' i wneud yr hanesion hynny yn addoliad. Dyna, mewn gwirionedd, oedd calon addoli yr eglwys fore hefyd – dweud yr hanes. Patrwm Iddewig ydoedd. O'i gymharu â'r weithred rymus o ddweud yr hanes, mae'r addoli sy'n rhoi'r pwyslais i gyd ar foesoli a dehongli a chyhoeddi yn ymddangos yn undonog a digyffro iawn. Mae geiriau Gwenallt, 'Gwae i ni wybod y geiriau heb adnabod y Gair' wedi eu dyfynnu hyd syrffed, ond erbyn hyn, arall yw'r gwae, sef yr honiad y gellir adnabod y Gair heb boeni am wybod y geiriau! Ni ellir cyflwyno'r hanes am Iesu mewn gwacter, oherwydd mae'n rhaid adrodd amdano yng nghysylltiadau'r storïau amdano a'i wreiddiau a'i hanes. Nid Iesu mewn gwagle ydyw. Fel yn hanes yr Iddew, ac felly i'r Cristion mae addoli'n golygu bod yn rhan o ddrama fawr bywyd Iesu. Mike Riddell, yr awdur lliwgar o Seland Newydd, ddywedodd mai'r Gair sydd yn cadw'r atgof peryglus am Iesu yn fyw! Er mai'r Gair yw sylfaen y cyfan nid yw'r hanesion o angenrheidrwydd yn gorffen gyda'r Beibl, oherwydd mae addoli sydd yn Gymraeg ac yn Gymreig yn addoli sydd yn adrodd yr hanes am 'fawrion weithredoedd Duw' yn ein hanes ni fel cenedl yn ogystal. Aeth ein haddoli yn brin iawn o hanes, a chanlyniad hynny fu diwreiddio ein haddoli a'i lastwreiddio yn ddychrynllyd. Gyda'r holl ddylanwad diwylliannol Cristnogol a ddaw o wahanol gyfeiriadau, rhoddwyd cymaint o bwyslais ar Gristnogaeth bersonol, oddrychol, fel bod addoli ar adegau mewn perygl o fod yn sentimental, gyda syniadau fel JAM (*Jesus and me*) a chynnwys digon tenau rhai o'r cytganau sydd wedi dod mor boblogaidd.

Mae'r *Wild Goose Worship Group* o Ynys Iona yn gweld y peryglon mawr o wneud addoli yn llipa ac yn feddal a dyna pam y maent yn cyfansoddi caneuon ac emynau sydd yn wreiddiol, yn gyhyrog a chryf eu mynegiant, yn Feiblaidd eu pwyslais, ond yn codi yr un pryd o dir a daear yr Alban.

Maent yn enghraifft ardderchog o ddaearu addoli yn y traddodiad Iddewig a Cheltaidd. Does dim tebyg yn cael eu cyfansoddi yng Nghymru.

I'r Iddew, roedd nid yn unig adrodd yr hanesion, ond eu hail-fyw drwy ddefodau a phererindodau yn creu amrywiaeth yn ei addoli. Mae lle i amau a ddigwyddodd hyn erioed o fewn y traddodiad Anghydffurfiol Cymraeg, oherwydd roedd Anghydffurfiaeth o'r dechrau yn ymwrthod â rhai agweddau ar y traddodiad Catholig ac Anglicanaidd. Roedd unrhyw beth â sawr Catholig arno yn beth i ymwrthod ag ef, ac aeth pob Gŵyl Gristnogol yn achlysur i bregethu. Mae llawer o aelodau hynaf y capeli Cymraeg yn cofio i ddydd Nadolig hyd yn oed fod yn ddiwrnod Cyrddau Mawr. Hynny yw – pregethu. Y Gair-i'w-bregethu oedd yn teyrnasu, ac aethpwyd i uniaethu cyhoeddi'r Gair â phregethu'r Gair yn ei ffurf a'i wisg draddodiadol. Mae'n weddol amlwg erbyn hyn inni ddioddef yn ddychrynllyd oherwydd y gorbregethu, beth bynnag oedd pwyslais athrawiaethol y pregethwyr. I'r mwyafrif a giliodd, pregethu yw pregethu, ac yn aml drama un-dyn oedd y pregethu Cymreig: gwylwyr a gwrandawyr oedd y gynulleidfa ac nid rhan o'r cyfan. Roedd rhai o'r pregethwyr enwocaf yn ddramatig iawn yn eu pregethu, ond gwylwyr mud oedd y gynulleidfa. Aeth ardaloedd a phentrefi yn gysylltiedig ag enwau rhai o'r hoelion wyth fel John Williams, Brynsiencyn a Philip Jones, Porthcawl; ac oherwydd hyn fe amddifadwyd yr ardaloedd lle'r oedd Anghydffurfiaeth yn teyrnasu o werth y mannau cysegredig a'r hanes a fyddai wedi cyfoethogi'r etifeddiaeth. Mae i bob pentref ac ardal eu mannau cysegredig ac fe ddylai'r mannau hynny fod wedi bod yn rhan o batrwm blynyddol y gymuned, a'r addoliad fod wedi ei weu i bob digwyddiad ac achlysur. Gall y tyrru i Soar y Mynydd fod yn ddim mwy na sentiment llwyr, pan fo gan bob ardal ei Soar y Mynydd ei hun sy'n gyforiog o hanes bro ac sy'n daearu addoli yn y fro honno. Mae Anghydffurfiaeth wedi bod yn fwy awyddus i roi'r hanes mewn print – yn gyson â chrefydd sydd a'i phwyslais yn eiriog – yn hytrach na'i ddathlu yn lleol mewn cartref, mynwent neu sgubor. Tristwch y cilio o'r addoliad yw mai profiad o addoli mewn capel, eglwys neu ysgol yw'r unig brofiad addoli sydd gan lawer o bobl. Nid yw'n gyffredin yn y cartref hyd yn oed bellach. Mae cyfyngu ar brofiadau addoli yn gyfyngu ar addoli ei hun. Wedi'r cyfan, roedd bywyd Iesu yn fywyd o addoli yn ei amrywiol fannau: ar ei aelwyd, yn ei bentref ac yn ei brifddinas.

Wrth afonydd Babilon...

Mae un rhan o'r Beibl, sef y Salmau, sy'n ganolog iawn wrth gysylltu addoli Iesu â'n haddoli ni. y Salmau oedd ar ei wefusau yn ei blentyndod, yn holl wyliau ei genedl, yn yr anialwch wrth iddo frwydro â'i alwad a'i genhadaeth, ac ar y groes wrth iddo wynebu ei oriau olaf. Ym mhob man, roedd salm. Y Salmau hefyd sy'n gwneud addoliad Iddewig Gristnogol yn barhad di-dor ar draws y canrifoedd, a dyna pam mae'r eglwys Gristnogol o bob traddodiad wedi rhoi lle canolog i'r Salmau. Cyfoeth y Salmau yw eu bod yn dod â holl brofiadau bywyd ger bron Duw. Mae yma alar a gorfoledd, amheuon a sicrwydd, melltith a bendith, rheg a gweddi – a'r cyfan yn cael ei fynegi yn rymus, weithiau gan unigolyn, weithiau gan gynulleidfa yn y deml ac weithiau ar ran y genedl gyfan. Maent yn wahanol iawn i'n haddoli parchus a neis ni. O gymharu â'r Salmau aeth ein haddoliad yn rhy ofalus i fedru rhoi mynegiant onest i'n profiadau meidrol, cythryblus. Yn ôl y Salmau mae lle mewn addoliad i brotest ac i lonyddwch, i dawelwch ac i ddawns. Wedi'r cyfan deialog yw addoliad, ac nid monolog. Dyna pam mae angen i bob cyfnod greu ei salmau ei hun. Mae'r grwpiau,

U2 a'r Manic Street Preachers (sylwer!), er enghraifft, wedi cyfansoddi salmau cyfoes sy'n codi cwestiynau sylfaenol credu a methu â chredu, chwilio a cholli, ac weithiau cael. Ni fyddai unrhyw un o'r ddau grŵp yn gwbl gyfforddus o fewn bywyd addolgar eglwys, ond mae gwir addoli yn croesi ffiniau cred ac anffyddiaeth, gobaith ac anobaith. Yn nathliadau'r flwyddyn 2000 yn Stadiwm y Mileniwm yng Nghaerdydd, tynnwyd sylw at y ffaith mai cynulleidfa wahanol iawn oedd yno Nos Galan yng nghyngerdd y Manic Street Preachers a'r Super Furry Animals, i'r gynulleidfa a oedd yno ddydd Sul yr 2 Ionawr, yn y *Songs of Praise*. Mae'n ddiddorol sylwi mai teitl un o ganeuon y Super Furries ar eu cryno-ddisg Gymraeg, *Mwng*, yw *Y maelodi â'r ymylon* – teitl salmaidd iawn! Pan oedd y Manics yn canu, '*Fascinated by good, destroyed by evil, what is there to believe in?*' (o'r gân *Not ready for drowning?*) a oeddynt tybed – Duw yn unig a ŵyr – yn nes at addoli fel addoli'r Salmau na'r gynulleidfa oedd yn canu '*Guide me, O Thou Great Redeemer*' i'r camerâu? Mae'r diwinydd, Walter Brueggemann, y cyfeiriwyd ato'n barod, wedi sôn am '*the subversive and powerful resources available in the psalms*'. Mae'r Salmau yn ein hatgoffa bod addoli yn her ac yn wahoddiad i bawb, ac na ddylai addoli gymryd yn ganiataol fod y profiad o addoli, heb sôn am gynnwys yr addoli, yn gyfarwydd i bobl yr unfed ganrif ar hugain. Yn yr un ffordd, nid yw bod yn gyfarwydd ag iaith draddodiadol addoli yn sicrhau gwir addoliad. Soniwyd ym Mhennod 2 am y *Conongate Pocket Bible*. Bono, o'r grŵp roc U2 sydd wedi ysgrifennu'r cyflwyniad i Lyfr y Salmau yny gyfres. Un o blant Gogledd Iwerddon yw Bono, ei fam yn Brotestant a'i dad yn Gatholig. Yn y cyflwyniad mae'n sôn am hoffter y grŵp o ganu y gân *40* (sef Salm 40) ar ddiwedd eu cyngherddau, a chlywed y miloedd yn y dyrfa yn canu'r cytgan syml '*Pa hyd, Arglwydd?*' (cwestiwn sy'n dod o Salm 6). Mae'r cwestiwn, meddai Bono, yn tynnu ar ymyl gwisg y Duwdod *'whose presence we glimpse only when we act in love'*. Pa hyd, Arglwydd ... newyn? Pa hyd... casineb? Pa hyd... *the troubles*? Pa hyd cyn i'r cread dyfu o'i anrhefn a diosg ei las-lencyndod... cyn mynd ar ei ben i uffern! Mae Bono yn teimlo bod gofyn y cwestiwn yn dod â chysur i'r dyrfa ac i'r grŵp. Dyna, hefyd, yw addoli gyda'r Salmau. Ail fyw profiadau y ddynoliaeth wrth gael – neu golli – Duw.

Manion bethau

Mae profiadau'r Salmau yn rhai penodol iawn oherwydd eu bod yn codi o amgylchiadau penodol. Dyna pam mae'r Hen Destament mor fanwl wrth roi arweiniad a chyfarwyddiadau ar gyfer addoli, a'r cyfan wedi ei weu i batrwm dyddiol, wythnosol a blynyddol. Dilyn y patrwm hwnnw mae'r darnau o addoli sydd wedi parhau o'r traddodiad Celtaidd (a chryn swm o waith diweddar wedi ei ychwanegu ato erbyn hyn) – gweld achlysuron fel cynnau'r tân ar aelwyd, dechrau taith, croesawu a ffarwelio, yn achlysuron addoliad cynnil a syml. Fe allai manylu penodol o'r fath guddio'r stori fawr; ond y stori fawr, wrth gwrs, sy'n rhoi'r unoliaeth a'r parhad i addoli. Ychwanegiadau bychain at y stori fawr yw'r gweddill. Beth yw'r stori fawr? Thema fawr y Gair yw: Duw, creu, bywyd, maddeuant, ennill, colli, caethiwed, rhyddid, cariad, cymod, heddwch, cyfiawnder. Amrywiaeth ar y themâu canolog hyn yw'r manylion. Mae'r cread cyfan a'r cenhedloedd a'r genedl yn rhan o'r stori fawr honno; ac fe fu amser pan oedd yr Iddewon mewn perygl o golli'r neges oesol drwy orfanylu ac felly golli'r wefr a'r cyffro. Dyna oedd beirniadaeth Iesu ar addoli y synagog. Roedd y manylu hyd ddiflastod ar air neu lythyren yn lladd yr ysbryd ac yn mygu pob dychymyg. Fe all y feirniadaeth fod yr un mor berthnasol i ni. Mae llythyren y gyfraith a'r

Gair, mae pregethu pregethau, mae gwneud môr a mynydd o un cymal neu adnod, wedi peryglu addoli. Mae angen y manwl (fel y dywedodd y dramodydd Arthur Miller unwaith, gan ddyfynnu Einstein – *'yn y manylion mae Duw'*) ac yn bendant mae angen y penodol, ond pan fo addoli yn mynd yn fanion-bethau, mae'n hawdd colli golwg ar neges ganolog y Gair, ac nid yw honno yn newid. Roedd R Tudur Jones yn sôn llawer (gan ddyfynnu Morgan Llwyd) am fywyd yn cael ei friwsioni yn yr ugeinfed ganrif, ac mae'n ddisgrifiad da o'r diwylliant ôl-fodernaidd sydd yn gynnyrch bywyd a gollodd ei ganol. Yn yr un ffordd fe all y ffydd gael ei briwsioni gan ddadleuon diwinyddol a chan fanion bethau crefydd. Pan ddigwydd hynny fe ellir colli golwg ar y Duw byw sy'n arwain ei bobl i ryddid ac i heddwch ei gariad. Mae'n rhaid i addoli gael gorwelion eang neu nid yw'n dyrchafu nac yn ysbrydoli. Dyna sydd y tu ôl i raglen *Llyfr Agored* Cymdeithas y Beibl: mae'n ceisio gwneud y Beibl yn llyfr cyhoeddus eto a chyflwyno i genhedlaeth newydd storïau mawr y byd. Mae darganfod themâu mawr y Beibl yn gyfrwng i adnewyddu addoli Pobl Dduw. Dyna hefyd a wnaeth Iesu, sef agor bywydau pobl i stori'r Gair. Roedd hynny'n ddigon i newid eu byd a'u bywyd yn ogystal â byd a bywyd eu cenedl. Mae'r ffydd Gristnogol yn mynnu y gall newid y byd hefyd.

Yn y canol

Beth sy'n gwneud addoli yn Gristnogol? Mae'r cyfan sydd wedi ei ddweud yn barod yn adfer y berthynas â'r addoli Iddewig, sydd â chymaint i'w ddysgu i ni o hyd. Yr hyn sydd yn wahanol am addoli Cristnogol yw bod Iesu yn y canol ac er mai ef sydd yn y canol, nid yw'r addoliad yn sylfaenol wahanol i addoli'r Hen Destament, gan mai adfer addoli i'w ogoniant wna Iesu. Ei adfer i'w ogoniant Iddewig!

Ef sy'n gwneud addoli yn ddim llai na chymundeb â'r Duw byw ond mae i'r cymundeb hwnnw ei uchelbwyntiau a'i ganolbwyntiau. Ac felly, ar fwy nag un ystyr, chwedl y Llythyr at yr Hebreaid, 'peth ofnadwy yw disgyn i ddwylo'r Duw byw'. Mae addoli Cristnogol yn disgyn i'w le wrth gofio, myfyrio, ac aros wrth groes ac atgyfodiad Iesu – yr hyn y mae Paul yn ei alw yn 'gymdeithas ei ddioddefaint Ef a grym ei Atgyfodiad'. Dyma'r uchelbwynt a'r canolbwynt. Mae hynny'n golygu bod addoli yn gofyn am ymdrech ac aberth, oherwydd mae addoli yn cael ei ddaearu lle mae profiadau bywyd yn ein huniaethu â'r Duw sydd bob amser gyda ni. Os nad yw addoli gyda'r gynulleidfa bob amser yn gwneud hyn, os yw'n ddi-angerdd ac yn ddi-ddagrau – ac y mae gwahaniaeth rhwng addoli ym Manilla ag addoli mewn capel yn Aberystwyth – yna mae'n rhaid tynnu ar brofiadau dioddef a chymodi a maddau a fynegwyd gan eraill mewn gwahanol ffyrdd ac o wahanol fannau yn y byd. Mae profiadau ffydd ar ryngrwyd addoli ers canrifoedd, ac mae addoli yn golygu rhannu'r profiadau hynny. Mae addoli yn tynnu o brofiadau pobl drwy'r byd.

Atgyfodiad

Soniwyd am aros wrth groes ac atgyfodiad Iesu, ac efallai o safbwynt cred mai'r atgyfodiad sy'n creu'r anhawster mwyaf i bobl sydd ar ymylon ffydd. Roedd atgyfodiad yn gred ymysg y mwyafrif o'r Iddewon hefyd, ac wedi'i seilio ar y gred fod y Duw a greodd y byd yn ddigon abl i greu bywyd newydd i genedl ac i fyd. Er bod Duw yn Dduw hanes roedd hefyd yn Dduw tu hwnt i hanes, ac nid oedd hyd yn oed hanes cenhedloedd byd yn ddim ond 'mân lwch y cloriannau'. Mae'n bwysig cofio felly mai profiad o ddimensiwn newydd addoli oedd dathlu'r atgyfodiad i'r Cristnogion, oherwydd ar ôl profiadau'r unigolion ar fore'r

Pasg, mae'r profiad – hyd yn oed i Tomos – ynghlwm â chymdeithas o bobl. A chymdeithas Iddewig ydoedd. Ym mhrofiad ac yn hanes yr eglwys Gristnogol, ni ellir ysgaru'r atgyfodiad o'r addoliad, a'r berthynas ag Iesu sydd yn ganolog i'r addoliad hwnnw. Ar wahân i fod yn brofiad mewn *cymdeithas*, mae'n brofiad *ysbeidiol* hefyd oherwydd dyna natur profiad o'r Crist byw, fel y profodd y disgyblion. Nid un statig, llonydd ydyw, ond un symudol, aflonydd. Nid oes unrhyw awgrym ei fod yn brofiad niwlog – amwys ar adegau efallai, ond nid niwlog, oherwydd nid oedd ac nid oes dim yn niwlog am Iesu. Fe ellid hefyd ddweud ei fod yn brofiad *annigonol* oherwydd mae'r Crist atgyfodedig yn ein tynnu ni yn nes at orwelion na fedrir byth mo'u croesi – o leiaf, ddim eto. Mynd yn ddyfnach i ddirgelwch a wnawn. Yn annigonol, hefyd, am fod y profiad o hyd yn gwneud i ni sylweddoli nad ydym ond yn braidd gyffwrdd y gwirioneddau mawr sydd tu hwnt i ni. Mae'r atgyfodiad hefyd yn brofiad ac yn ymdeimlad o *nerth* ynghanol profiadau cythryblus bywyd. O'r ochr arall, mae'n brofiad tawel o *dangnefedd* ynghanol profiadau cyffredin bywyd – dyddiau galar neu ddyddiau gorfoledd. Geiriau cyntaf y Crist atgyfodedig i'w ddisgyblion ofnus oedd, 'Tangnefedd i chwi'. Oherwydd mai'r groes yw'r symbol i'r Cristion, nid yn unig o'r croeshoeliad ond o'r atgyfodiad hefyd (am mai croes wag ydyw), mae profiad o'r atgyfodiad a chredu'r atgyfodiad yn un â phrofiad o'r groes – fe all y ddau fod yn un. '*Bitter sweet*' yw disgrifiad y bardd George Herbert ohono: '*I will lament, and love*'.

Nid yw sôn am atgyfodiad Iesu yn ein rhwygo oddi wrth Iesu'r Iddew felly, ac ni all y Cristion droi cefn ar yr Iddewiaeth honno ar ôl yr atgyfodiad. Wedi'r cyfan, Iddewon oedd y 'Cristnogion' cyntaf. Drwy gofio mai Duw gyfododd Iesu, y mae'n bosibl i Iddew gredu hynny.

Addoli'n rhydd

Y gwir yw bod Iesu wedi ymestyn a dyfnhau addoli mewn ffordd gwbl unigryw. Fe all Cristnogion ddadlau (ac fe wnaethant hynny) ynghylch sut mae dehongli ei farwolaeth, ond wrth blygu a myfyrio wrth y groes mae addoliad yn ein huno mewn gwyleidd-dra, diolch ac edifeirwch. Dyna pam mae'n rhaid rhyddhau addoli o ormes diwinyddiaeth ac athrawiaethau. Iaith credu yw iaith addoli ac, unwaith eto, mae'n rhaid pwysleisio nad addoli Iesu yr ydym, ond addoli yn enw Iesu. Cyfrwng nid gwrthrych addoli ydyw. Agor y drws i ogoniant Duw ei hun y mae Iesu. Cael rhan yng Ngweddi'r Arglwydd, bod yn un â phrofiad y gwedd-newidiad, bod wrth y groes, a bod yng ngrym ei atgydfodiad ef – dyna yw addoli. Iesu sydd yn y canol – ac nid oes terfynau i addoli pan fydd Iesu yn y canol. Mae hynny yn her aruthrol ac yn wahoddiad i Iddew, i holl grefyddau'r byd, ac i Gristnogion. Mor aml y mae addoli Cristnogol wedi bod yn gwbwl wahanol i hynny – yn godi muriau, yn osod terfynau ac yn gau drysau! Disgrifiodd George Carey ei brofiad o addoli mewn pabell yn un o wledydd Affrica: to yn unig oedd i'r babell a'r ochrau yn gwbl agored oherwydd y gwres a'r dyrfa. Felly y dylai addoli fod.

Gall ymddangos ein bod yn glastwreiddio gwirion-eddau'r ffydd Gristnogol wrth roi cymaint o bwyslais ar addoli fel y mynegiant grymusaf o ffydd a chred. Ond fe ddylid edrych ar brofiadau mwyaf Iesu ei hun fel profiadau addoli. Dyna oedd ei fedydd, ei demtiad, ei weddnewidiad, Gethsemane a'r groes, ac yn y digwyddiadau hynny i gyd mae ymdeimlad dwfn o bresenoldeb Duw a chymundeb â'i Dad nefol. Parhad o'r presenoldeb hwnnw yw presenoldeb y Crist byw i'w ddisgyblion ac, fel y dywedwyd eisoes, awyrgylch addoli sydd yn y cyfan, weithiau'n dawel, weithiau'n stormus: Emaus a'r swper; y gymdeithas a'r rhyfeddod ar lan y môr; olion yr hoelion yn arwydd o'i gariad; y comisiwn i Pedr. Mae'r cyfan yn weithredoedd o addoli. Mewn addoli Cristnogol felly mae lle amlwg i wrando ar eiriau Iesu, yn ogystal â chofio iaith ei addoli. Mae lle pwysig i fyfyrio ar ei aberth, yn ogystal â chofio dioddefaint ei bobl ar hyd y canrifoedd. Mae lle i gofio ei fywyd a'i weithredoedd, yn ogystal â chofio bywyd pererin bobl Dduw. Mae'r cyfan yn gwneud addoli y Cristion a'r Iddew yn un, ond bod y Cristion yn gweld y cyfan yn dod i'w le ac i'w ogoniant yn Iesu.

Mae geiriau fel 'gogoniant' a 'rhyfeddod' yn ein hatgoffa fod addoli bob amser yn ymateb i ddirgelwch y Ffydd. Dyna paham fod yn rhaid i addoli hefyd fod yn ddisgyblaeth o gwtogi ar eiriau ac ymdawelu ac ymlonyddu – dyna'r ymateb dyfnaf posib i ddirgelwch yr Atgyfodiad. Dirgelwch hefyd yw presenoldeb oesol Iesu. Nid dadl dros fodolaeth Duw yw dirgelwch, ond profiad o fodolaeth Duw. Mewn addoliad, fel yn y Beibl, mae datguddiad a dirgelwch yn un.

Agored

Felly os yw addoli yn gyfrwng i rannu ac i ddathlu ein ffydd a'n cred, yna mae'n ymddangos mai cyndyn iawn yw'r eglwysi i wneud yr addoli hwnnw yn gwbl agored. Go brin bod rhoi enw'r pregethwr ar fwrdd y tu allan i'r capel yn wahoddiad! A go brin bod drysau caeedig o un Sul i'r llall yn wahoddiad chwaith! Pan fydd yr eglwys unwaith eto yn rhannu ym mywyd ei chymuned leol, yna, fel addoli yr Iddewon gynt, fe ddaw'r addoliad yn gyfrwng i uno ac i feithrin y gymuned honno. Sawl eglwys sy'n gwahodd cyplau i briodi? Sawl eglwys sydd yn rhoi gwybod fod popeth sydd ganddi yn rhydd, yn rhad ac am ddim – i bawb? Sawl eglwys a aiff o'i ffordd, pan fo plentyn yn cael ei eni, i wahodd y teulu hwnnw i ystyried bedyddio'r plentyn – boed y rhieni yn aelodau o'r eglwys neu beidio? Sawl eglwys sy'n trefnu noson gymdeithasol i groesawu teulu sy'n symud i fyw i'w hardal, boed y teulu yn Gristnogion neu beidio? Dathlu priodas, pen-blwydd, agor siop, dechrau tymor pêl-droed – i ba raddau mae'r eglwysi yn gwasanaethu ei chymuned a'i Harglwydd drwy drefnu achlysuron i ddathlu, i ddiolch neu i alaru? A beth am ddiwrnod cyntaf y gwanwyn neu galan gaeaf? Faint o eglwysi sy'n paratoi i fod yn rhan o achlysuron o'r fath? Y gwir amdani, erbyn hyn, yw mai cyfraniad mawr yr eglwys i'r gymuned yw cynnal gwasanaeth angladdol. Mae'n wir fod hwnnw yn un o achlysuron pwysicaf y gymuned, a braint i'r eglwys ar adeg felly yw cael gwasanaethu. Yn wir, dyma'r unig amser y mae'r gymuned yn troi at yr eglwys a phan fo'r eglwys yn cael bod yn eglwys i'r gymuned gyfan. Ond pan fo eglwys yn 'fan angladd' yn unig, mae hynny'n adlewyrchiad trist ar ei sefyllfa. Collodd ei pherthynas â cherrig milltir eraill bywyd. Mae'n wir fod Cristnogion unigol sydd yn well na neb yn y pethau hyn ac yn halen y ddaear yn eu cymuned, ond methu mae'r eglwys ei hun. Eto, mae pobl yn chwilio am ffyrdd i ddathlu'r cerrig milltir. Mae silffoedd siopau cardiau cyfarch yn profi hynny. Mae'r masnachu ar Sul y Mamau yn profi hynny. Mae dyfeisio sermoni newydd enwi'r babi yn profi hynny. Wrth fyfyrio ar ddathliadau'r milflwyddiant yn ei golofn wythnosol yn y *Western Mail* dywedodd Dylan Iorweth, 'mater o adloniant a masnach ydi ein defodau ni erbyn hyn, nid mater o ysbryd – acrobats, nid angylion.' (5 Ionawr 2000) Mae hynny'n golygu bod addoli wedi ei dlodi, wedi ei gyfyngu ac wedi colli ei flas. Aeth addoli yn undonog a di-liw. Fe fydd y grefydd geidwadol eto am ddadlau bod rhaid cael pobl i gredu cyn addoli, ond mae'n safbwynt sy'n gwbl groes i ysbryd addoli Iesu ei hun. Mae Michelle Guinness, sy'n ceisio dod â synnwyr achlysur a dathlu yr Iddew i addoliad yr eglwys, yn cloi ei rhagarweiniad i'w chyfrol, *A Little Kosher Seasoning*, drwy ddweud fel hyn: wrth i chi archwilio a darganfod y byd rhyfeddol hwn, gadewch i'r Fam Iddewig hon (sef Michelle Guinness) eich cynghori gyda'r gorau o ddoethineb Iddewig: *Joiwch, joiwch*!

Dyna oedd addoli i Iesu'r Iddew, a dyna pam yr oedd yn rhoi cymaint o le a sylw i blnat. Dyna yw addoli pan fo Iesu yn y canol.

PENNOD 7

Iaith, gwraidd a gwisg

Mae Duw yn Dduw all adfer cenedl a chymuned. Ond mae'n rhaid i'w bobl fod ar yr un donfedd ag Ef. Mae Cymru – fel llawer gwlad arall yn Ewrop – yn llawn Cristnogion sydd am achub Cymru gyda'u hagenda eu hunain. Am achub y nifer fwyaf posibl o eneidiau'r Cymry yw eu bwriad, gan gredu y bydd hynny yn achub Cymru. Efallai y dylent fynd yn ôl i Nasareth a Jeriwsalem i gael eu hatgoffa o agenda Iesu'r Iddew.

Dyma un o'r ychydig fannau yn y byd – dwy neu dair o drefi
bychain – fuasai'n deall Iesu yn siarad petai yn dod yn ôl
heddiw.'

– William Darlymple, *'From the Holy Mountain'*, yn cyfeirio at
Quamishli yn Syria lle mae 75% o'r boblogaeth yn perthyn i
Eglwys Uniongred Syria sydd yn Aramaeg ei hiaith

Ti a weli y genedl, y genedl a greodd Duw,
Fel cenhedloedd eraill i'w addoli a'i foli Ef.
O golli'r Gymraeg fe fyddai un iaith yn llai i'w foli;
Os myn y genedl ei difa ei hun ni allai'r Arglwydd Iesu Grist
Ar Galfaria farw dros genedl goll; y genedl y rhoes Ef
Iddi ar hyd y canrifoedd Ei ffydd, Ei ras a'i iachawdwriaeth.

– Gwenallt, o'r gerdd 'Emyr Llewelyn Jones', *Y Coed*

Gwyn ei byd y genedl y mae'r Arglwydd yn Dduw iddi,
y bobl a ddewisodd yn eiddo iddo'i hun

– Salm 33. 12

Mae'r gyfrol hon drwyddi draw wedi rhoi pwyslais ar Iesu'r Iddew. Iddew ydoedd, a go brin y bydd neb o unrhyw liw diwinyddol yn gwadu hynny nac yn gwadu bod hynny'n gwbl allweddol i Gristnogion ddeall ei neges ac ymateb iddi. Ond Iddew ydyw o hyd, a hyn sy'n creu anfodlonrwydd ymhlith y Cristnogon sydd yn ymhyfrydu eu bod yn arddel 'y ffydd Brotestannaidd uniongred, sef Cristnogaeth y Testament Newydd.' Mae'n anodd iawn gwybod beth a olygir wrth dermau o'r fath na'r disgrifiad ymhonnus hwnnw, *'Bible believing Christians'*, sydd wedi dod yn slogan mor boblogaidd. Dyma, fodd bynnag, y Gristnogaeth sy'n cael ei mynegi gan fudiad fel *Iddewon dros Iesu* (*Jews for Jesus*). Mae gan y mudiad hwnnw gymal yn ei Datganiad o Ffydd sy'n dweud bod ei aelodau yn cydnabod gwerth llenyddiaeth Iddewig draddodiadol, ond dim ond lle mae hynny'n cael ei gefnogi gan Air Duw ac yn ddarostyngedig i'r Gair hwnnw. Gair Duw iddynt hwy yw bod yr Iddewon yn bechaduriaid fel pawb arall ac arnynt angen cael eu hachub drwy'r iachawdwriaeth sydd yng Nghrist ac yng Nghrist yn unig. Dyma safbwynt y mae'r llyfryn hwn wedi ei weld yn un cynyddol anoddefgar sy'n cyfyngu ac yn hawlio pob gwirionedd a gwybodaeth am yr efengyl. Dyma'r safbwynt sydd hefyd wedi creu rhwygiadau yn y gorffennol, ac yn achos Iddewon a Christnogion, wedi arwain i drychineb a phoen.

Wrth fynnu bod Iesu yn Iddew o hyd, rydym yn cadarnhau geiriau sydd wedi cael eu dyfynnu yn amlach nag unrhyw eiriau eraill wrth ddathlu 2000 o flynyddoedd o fywyd yr eglwys Gristnogol: 'Iesu Grist yr un ydyw ddoe a heddiw – ac am byth.' (Hebreaid 13, 8). Maent yn eiriau syfrdanol ac yn dweud mewn gwirionedd mai Iesu doe **yw** Iesu heddiw. Mae'n parhau i fod yn fab ffyddlon y cyfamod; yn parhau yn Un sy'n dod atom ac yn llefaru â ni drwy ei eiriau a'i fywyd, 'yn ôl yr Ysgrythurau'; mae'n parhau i gyhoeddi bod teyrnas ei Dad wedi gwawrio drwy ei fywyd fel Iddew ym Mhalesteinia; mae'n parhau i ddylanwadu ar fywydau unigolion ac ar y byd, yn arbennig drwy ddylanwad ei groeshoeliad a'i atgyfodiad. Yn hyn i gyd, Iesu doe yw Iesu heddiw. Mae'r gyfrol hon, gobeithio, wedi dangos bod meddwl am Iesu fel Iddew yn ei wneud yn Waredwr i bawb drwy chwalu pob mur a thrwy fod yn gyfrwng cymod mewn byd rhanedig. Drwy fod yn wahoddiad cwbl agored i geisio ei gwmni a thrwy droi cefn ar ymdrechion cymhleth a pheryglus dynion i esbonio'r efengyl. Yr un yw symlrwydd syfrdanol Iesu doe ag Iesu heddiw sy'n cofleidio dynion a merched yn rhyfeddod a dirgelwch Duw ei hun. Ond, gan wybod y peryglon o gael ein cario gan gyffredinoli a rhethreg grefyddol, mae'n bryd i ni fod yn fwy penodol ac ymarferol a gofyn beth arall ynglŷn ag Iesu'r Iddew sy'n ei wneud yn berthnasol i Gymro neu Gymraes ddechrau'r unfed ganrif ar hugain?

Iaith

Yr Aramaeg oedd iaith Iesu, iaith a oedd yn perthyn yn agos i'r Hebraeg. Yn yr iaith honno y siaradai, a thrwy'r iaith honno y cyfathrebai. Mae hanes yr iaith yn un cymhleth ond erbyn dyddiau Iesu hi oedd iaith gyffredin Galilea ac mae nifer o ddyfyniadau o'r Aramaeg yn yr Efengylau (a ysgrifennwyd yn wreiddiol yn yr iaith Roeg, un o ieithoedd mawr y cyfnod.) Mae'n bosibl bod gan amryw o bobl Galilea, gan gynnwys Iesu ei hun efallai, ryw grap ar yr iaith Roeg, ond heb fod yn ei siarad. Iaith diwylliant estron ydoedd. Roedd Iesu yn gyfarwydd â'r Hebraeg, wrth gwrs, ac yn falch o iaith yr Ysgrythurau a'r iaith a fu'n gyfrwng i gario hanes a bywyd ei bobl ar hyd y canrifoedd. Y Lladin, wrth gwrs, oedd iaith yr ymerodraeth a lywodraethai'r Iddewon, ac felly hi oedd iaith gormes a chyfraith. Roedd yr arysgrif ar ei groes wedi ei hysgrifennu yn yr ieithoedd Lladin, Groeg a Hebraeg, ond nid yn iaith ei aelwyd. Mae'n arwyddocaol iawn mai yn Aramaeg y mae Marc yn cofnodi, '*Eloi, e loi, lama sabachthani*', ac mae rhai ysgolheigion wedi gofyn tybed a oedd fersiwn o un o'r Efengylau yn yr iaith Aramaeg? Wrth gwrs, nid oes dim yn yr Efengylau sy'n awgrymu pwysigrwydd yr iaith i Iesu, heb sôn am ymgyrchu na brwydro dros iaith. Ond fe allwn ddweud bod yr iaith a siaradai yn rhan gwbl naturiol o'i ddynoliaeth a'i hunaniaeth fel Iddew. Mae'n werth nodi hefyd mai o'r Aramaeg y datblygodd yr ieithoedd Syrieg ac Arabeg (yn pontio Iddew ac Arab felly) ac mae'r iaith yn cael ei defnyddio heddiw gan ychydig o bobl yn Eglwys Uniongred Syria. Mae'r bobl sy'n mwynhau dawnsio cylch yn gwneud hynny weithiau i dâp o Weddi'r Arglwydd yn cael ei chanu yn yr Aramaeg gan grŵp o Syria. Mae nifer gynyddol o bobl yn darganfod, am y tro cyntaf, bwysigrwydd y diwylliannau bychain, ac mae'r Aramaeg yn enghraifft o hynny.

Iaith a chrefydd

Fe fu amser pan oedd rhai pobl mewn cylchoedd crefyddol yn mynnu dweud bod crefydd yn bwysicach nag iaith. Erbyn hyn fe wyddom ei bod yn ddadl arwynebol. Fe gododd yr honiad mewn gwlad a welodd iaith y mwyafrif (ac iaith cyfoeth ein hanes a'n gwareiddiad Cristnogol) yn cael ei disodli fel cyfrwng addysg, llywodraeth, masnach a chyfraith gan yr iaith Saesneg; gwlad a welodd ei phobl ei hun yn dibrisio'r iaith ac yn gwrthod ei throsgwyddo i'w plant; gwlad a welodd filiynau dros y blynyddoedd yn dod i fyw ynddi gan gredu nad oedd Cymru'n ddim namyn rhan o Loegr; a gwlad, o fod yn rhan o Brydain Unedig, a aeth i gredu llai a llai yn ei diwylliant a'i hunaniaeth ei hun. Felly y bu am ganrifoedd lawer. Fe welwyd hefyd mewn rhai ardaloedd a threfi yng Nghymru y duedd i Gymry Cymraeg siarad â'i gilydd yn Saesneg a chreu ar adegau fôr o Seisnigrwydd mewn eglwysi Cymraeg hyd yn oed. Yn ystod yr wyth degau a'r naw degau fe welwyd llawer o Gymry Cymraeg yn dewis addoli yn Saesneg am fod yr addoli yn fwy bywiog, yr eglwysi yn llawnach a'r athrawiaeth yn fwy cywir.

Ond fe fu yr iaith fyw drwy'r cyfan a bu fyw fel cyfrwng addoli ac yn y gymuned oedd o gwmpas y mannau addoli hynny. Ond bywyd bregus ac ansicr iawn ydoedd a bu llawer o sôn dros y blynyddoedd mai iaith ar farw ydoedd. Yn sgil yr amgylchiadau hyn, ac yn arbennig y dirywiad crefyddol mawr ac ymateb Cristnogion i'r argyfwng, y clywyd yr honiad fod crefydd yn bwysicach na iaith, yn arbennig gan bobl sydd â sêl i efengylu wrth weld y gwacter ysbrydol – mae achub enaid yn bwysicach nag achub iaith.

Erbyn hyn, fe wyddom yn wahanol, oherwydd mae dewis o'r fath yn arwynebol o safbwynt efengylu ac o safbwynt yr iaith. Mae'n awgrymu nad oes dim dewis na llwybr arall. Ac mae'n anghofio bod i'r Gymraeg le ym mhwrpas Duw ar gyfer Cymru. Nid iaith farw ydyw bellach. Fe fu adferiad yn hanes yr iaith drwy ymgyrchu maith, drwy addysg Gymraeg, drwy bolisïau mwy teg a chyfiawn, drwy well gwerthfawrogiad o ddiwylliannau bychain, a thrwy sylweddoli bod iaith yn gyfrwng i gario gwerthoedd a hunaniaeth sy'n rhoi urddas a rhyddid i bawb. Mae'r Gymraeg mewn sefyllfa fregus iawn o hyd wrth gwrs, a gwelir peryglu ansawdd a safon yr iaith o bob cyfeiriad gan gynnwys hyd yn oed yn y sefydliadau a grëwyd i'w gwarchod. Yn ogystal â hynny nid oes ardal yng Nghymru y gellid dweud bod yr iaith yn gwbl ddiogel ynddi. Ac yn bendant, er yr hyder newydd a'r newid mewn agwedd, ni ellir dweud bod dwyieithrwydd yn diogelu iaith.

Mae dathlu ein ffydd a mynegi'r ffydd drwy gyfrwng yr iaith Gymraeg yn gwbl gyson â dilyn Iesu o Nasareth. Mewn geiriau eraill mae iaith leiafrifol sydd wedi bod yn gyfrwng mynegiant i'r ffydd o'r dechrau yng Nghymru, yn gyd-nabyddiaeth unigryw o Arglwyddiaeth Iesu ar iaith. Rhy hir y bu'r eglwys Gristnogol ym mhob rhan o'r byd cyn sylweddoli mai iaith pobl, iaith mam, sydd yn daearu'r efengyl. Ac y mae'r Gymraeg wedi gwneud hynny ers pan ddaeth y Ffydd Gristnogol i Gymru yn Oes y Saint.

Iaith yn uno

Mae her arbennig felly i Gymry Cymraeg fyw ar batrwm Iesu. Yn y cyfnod hwn yn hanes Cymru mae'r iaith yn gyfrwng creadigol i'n huno ac yn bwysicach o lawer na thraddodiadau a phatrymau crefyddol. Mae dweud bod iaith yn bwysicach nag enwad– a dyna awgrym y frawddeg flaenorol – yn beth hollol wahanol i ddweud bod crefydd yn bwysicach nag iaith.

Dwyieithog yw llawer o enwadau Cymru – rhai yn fwy Saesneg na'i gilydd yn eu gweinyddiad – ond i gyd yn barod i gydnabod pwysigrwydd y Gymraeg. Dyna'r gwir am yr Eglwys Gatholig Rufeinig, yr Eglwys Anglicanaidd, y Crynwyr, yr Eglwys Fethodistaidd ac Eglwys Bresbyteraidd Cymru. (Yr olaf o'r rhain yw'r unig enwad, fel mae'n digwydd, sydd wedi codi fel enwad o dir a daear Cymru.) Mae Undeb yr Annibynwyr Cymraeg yn eglwys gwbl Gymraeg fel y mae Undeb y Bedyddwyr, ond mae i'r ddau enwad bartneriaeth, y naill â'r *Congregationalist Federation* a'r llall â'r *Baptist Union of Wales*. Mae'n wir dweud hefyd fod llawer o eglwysi yr Annibynwyr yn eglwysi Saesneg/dwyieithog. Nid oes gan yr *United Reform Church* eglwysi Cymraeg, ond mae nifer o Gymry Cymraeg yn aelodau o'r eglwysi. Mae dau ar bymtheg o enwadau/eglwysi eraill yng Nghymru (yn ôl Arolwg Eglwysi Cymru yn 1995), ac o'r rheiny dim ond yr Eglwysi Efengylaidd sydd yn eglwysi Cymraeg; ond er pledio annibyniaeth, maent hwythau erbyn hyn yn gyfundrefn ddwyieithog â'i choleg a'i gwasg a'i phencadlys, yn ogystal â changen Saesneg gref sef *The Evangelical Movement of Wales*.

Mae pontio rhwng dwy iaith a chyfathrebu drwy ddwy iaith yn anorfod os yw Cymru i fod yn un. Mae achlysuron addoli amlieithog yn achlysuron i'w trysori a'u cofio fel y gŵyr pawb sydd wedi bod mewn digwyddiadau rhyngwladol; ac mae rhai wedi mynd mor bell â dweud bod amlieithrwydd mewn addoliad yn brofiad crefyddol ynddo'i hun. Mae rhai wedi sôn am y profiad fel bod 'yn y Pentecost cyntaf'. Ond o safbwynt adeiladu a dyfnhau bywyd eglwys, mae siarad yr un iaith yn hollbwysig, ac o safbwynt gweinyddiad a chyfathrebu mae un iaith yn fwy effeithiol. Dyna pam mae her arbennig i Gymry Cymraeg ddod at ei gilydd ar draws ffiniau enwad i fod yn Eglwys Unedig **Gymraeg** yng Nghymru. Mae'r ymdrechion i sefydlu Eglwys Unedig Cymru yn cynnwys eglwysi rhyddion sy'n ddwyieithog. Llawer mwy ymarferol ac ystyrlon o safbwynt addoli, cenhadu a gweinyddiad fyddai i Eglwys Unedig Cymru fod yn Gymraeg ei hiaith. Fe allai adrannau Saesneg yr eglwysi hynny ddarganfod undod yn yr iaith Saesneg, ac fe fuasai hynny yn cynnwys eglwys yr *United Reform* yng Nghymru. Cam arall – mewn cyfnod pan nad oes fawr o ystyr i'r term 'eglwysi rhyddion' beth bynnag – fyddai i Gristnogion eraill, o draddodiad Anglicanaidd a Chatholig, fod yn barod i gydnabod bod yr iaith Gymraeg yn bwysicach na thraddodiadau eglwysig ac ystyried goblygiadau hynny iddynt yn eu perthynas â'u cyd-Gristnogion. Dathlu a rhannu cyfoeth pob traddodiad yw gwir ecwmeniaeth, ac mae'r Gymraeg yn uno cyfoeth pob mawl a llenyddiaeth Gristnogol. Y gyfrol bwysicaf a gyhoeddwyd i ddathlu'r milflwyddiant oedd *Gogoneddus Arglwydd, henffych well* (Cyhoeddwyd gan Cytûn), sef detholiad o ryddiaith a barddoniaeth Gristnogol Gymraeg drwy'r canrifoedd. Nid yw'n gyfrol i'r farchnad boblogaidd ond mae'n gyfrol sy'n cynnwys seiliau cryfach i undod nag unrhyw gynllun. Fe fyddai'n rhaid i'r Eglwys Gymraeg, wrth gwrs, fod yn gyfrwng i fynegi'r ffydd mewn amrywiol batrymau a ffyrdd. Nid unffurfiaeth yw undeb. Yr iaith fyddai'n dod â ni at ein gilydd, gydag Iesu yn y canol. Fel yr awgrymwyd ym Mhennod 4, mae'r ymdrechion i uno Cristnogion Cymru yn gwegian unwaith eto oherwydd gafael tyn traddodiad ac ofnau, ond mae gennym iaith a all ein huno – dyna un o nodau arbennig iaith. Nid yw hynny am funud yn golygu rhannu Cristnogion, ond mae yn golygu mai dathlu a rhannu ein ffydd drwy gyfoeth dwy iaith yw cenhadaeth yng Nghymru.

Pan fo'r Beibl yn sôn am 'gyflawnder yr amser', mae'n sôn yn benodol am amser arbennig yn hanes cenedl yr Iddewon. Roedd yr amgylchiadau cymdeithasol, cenedlaethol, diwyll-iannol ac ieithyddol yn rhan o'r amser hwnnw ac yn yr amser hwnnw y daeth Crist. Nid oedd unrhyw awgrym y dylai ef ddewis iaith arall er mwyn cael iaith ryngwladol i gyrraedd mwy o bobl. Anfonodd Duw Iesu i siarad yn yr iaith Aramaeg ac fe fyddai'r cwestiwn, 'iaith neu grefydd?' wedi tanseilio'i ddynoliaeth ac felly ei Arglwyddiaeth. Roedd yr Aramaeg felly yn 'un o dafodieithoedd Duw' (a dyfynnu cyfeiriad enwog Gwenallt at yr iaith Gymraeg) ac roedd yn ddigon i'r Duw hwnnw, drwy Iesu, ddatguddio ei ewyllys i'r holl fyd.

Byr, bach a chyfyng

Byr iawn fu gweinidogaeth gyhoeddus Iesu – llai na thair blynedd. Roedd Jeriwsalem yn holl bwysig iddo fel prifddinas ei genedl, ac roedd mynd yno i'r deml i gadw gŵyl wedi bod yn batrwm bywyd iddo. Ond fe ddewisodd gyflawni ei waith yng Ngalilea gan fodloni ar y gwyliau arferol i'w ddenu i Jeriwsalem ac aros yma ac acw ar y ffordd. Cyfyng iawn oedd ei gynefin, ond fe ddewisodd aros yn y cynefin hwnnw. Wrth sôn am Iesu'r Iddew, felly, rydym yn sôn bob amser am y bychan a'r plwyfol. Mae'n wir bod tyrfaoedd mawr wedi tyrru ar y dechrau i'w weld a'i glywed, ond cadw draw o ganolfannau poblog a throi cefn ar y dyrfa fawr a wnaeth. Mae'r ansoddair 'bychan' yn brigo i'r wyneb yn ei eiriau yn barhaus. Yn nyddiau'r corfforaethau a'r busnesau mawr – pan fo banc o Japan yn berchen dŵr Cymru – aeth ein cymdeithas i ddyheu fwy a mwy am y bychan a'r lleol. Nid oes amheuaeth na chafodd y pwyslais ar y mawr ddylanwad ar feddylfryd yr eglwys hefyd. Fe fu pwyslais ar ddiwinyddiaeth llwyddiant, a daeth twf anhygoel yr eglwys fyd-eang i ddylanwadu ar feddylfryd Cristnogion yn y Gorllewin. O golli'r cynulleidfaoedd mawr a fu, daeth hiraeth am eu cael yn ôl eto, a gobaith am gynulleidfaoedd mwy fu nôd sawl ymgyrch efengylu, o Billy Graham i Luis Palau a nifer o rai eraill. Er bod pwyslais yr efengylwyr hyn ar achub eneidiau, yn hytrach na llenwi seddau, roeddynt hwy eu hunain yn mesur eu llwyddiant yn ôl y miloedd oedd wedi tyrru i'w gwrando. Ychwanegwyd at y meddwl hwnnw gan gyfryngau sydd bellach yn cyfrif llwyddiant yn ôl nifer y gwylwyr, ac sy'n ymfalchïo eu bod bellach yn cyrraedd y miloedd ar draws y byd. Bron yn ddiarwybod, aethpwyd i ddadlau mai eglwysi mawr y byd yw'r prawf o fendith Duw. Cynulleidfaoedd bychan, wedyn, yw'r prawf o fethiant. Ond gwelwyd ffolineb ymresymu o'r fath, ac erbyn hyn nid yw ymgyrchoedd efengylu â'r pwyslais ar y tyrfaoedd mawr mor gyffredin ag y buont.

Fe wyddai Iesu'r Iddew am beryglon y mawr a'r llwyddiannus. Dyna un rheswm, gyda llaw, pam na lwyddodd y Diafol i'w demtio yn yr anialwch i gymryd ffordd a oedd yn addo – yn wir, yn sicrhau – llwyddiant pendant. Fe wyddai Iesu fod proffwydi o'i flaen wedi gweld crefydd yr Iddew yn mynd yn arwynebol ac yn llawn rhagrith mewn cyfnod o lwyddiant a chryfder ymddangosiadol. Roedd llwyddiant materol yn arwain at fethdaliad ysbrydol. Yr Iddewon a fu'n gweddïo ac yn breuddwydio am fuddugoliaeth, llwyddiant a grym i'w cenedl a gafodd eu siomi pan gollwyd y cyfan; ond yr Iddewon a barhaodd yn dawel ac yn ffyddlon yng nghyffiniau Bethlehem a Nasareth a welodd y symudiadau bychain.

Ar hau hadau y mae pwyslais Iesu. I'r meddwl meidrol, mae'r mawr yn arwydd o lwyddiant; ond i'r meddwl Cristnogol, llwyddiant yr efengyl sydd yn bwysig. Wrth gwrs, mae'r eirfa grefyddol gyfarwydd wedi dweud, 'ple bynnag y mae dau neu dri wedi ymgynnull yn fy enw i, yno y byddaf finnau', ond nid yw'r meddwl crefyddol cyfoes fel petai'n fodlon credu hynny. Un o beryglon y pwyslais ar weddïo cyson am ddiwygiad yw uniaethu'r diwygiad hwnnw yn ddieithriad â chapeli llawn. Perygl arall yw credu mai felly y mae Duw yn meddwl hefyd!

Mae dilyn Iesu'r Iddew yn golygu credu nad yw chwalfa'r gyfundrefn a'r gostyngiad mewn aelodaeth o angenrheidrwydd yn arwydd o ddirywiad. Mae yn arwydd o newid, ond nid bob amser o ddirywiad. Mewn cyfnod casglu ystadegau mae'n hawdd iawn cael ein camarwain. Pan oedd yr Iddewon heb deml, a holl ogoniant Solomon wedi mynd, dyna'r pryd yr oedd y proffwyd dienw yn hau ei hadau â chriw bach iawn o bobl o'i gwmpas. Yn olyniaeth y proffwyd hwnnw – fel y dywedwyd eisoes – yr oedd Iesu.

Lleygwyr bob un

Ond mae agwedd arall i bwyslais Iesu ar y bychan a'r dinod, ac rydym hyd yn oed yn fwy anfodlon derbyn y pwyslais hwnnw. Er i Iesu gofleidio'i etifeddiaeth Iddewig a'i gwerthfawrogi, er iddo fod yn blentyn ffyddlon y cyfamod, eto nid drwy'r gyfundrefn y daeth ei neges a'i weledigaeth yn etifeddiaeth i'r holl fyd. Nid oedd amheuaeth nad oedd Iesu yn adnabod Iddewon a oedd yn halen y ddaear. Roedd y ffydd Iddewig wedi meithrin seintiau erioed ac nid oedd argyfwng yn mynd i rwystro Duw rhag gwneud hynny eto. Gan y seintiau hyn y magwyd Iesu ac mae portread hyfryd ohonynt ar ddechrau Efengyl Luc yn arbennig. Yn y ddeialog gyfoes rhwng Iddewon a Christnogion, mae'r darlun o dda a drwg a du a gwyn am gyflwr ysbrydol yr Iddewon yn nyddiau Iesu wedi diflannu'n llwyr. Nid yw hanes Pobl Dduw erioed wedi bod mor syml â da a drwg. Roedd y Phariseaid, er enghraifft, yn bobl ardderchog ac maent wedi cael cam ar hyd y blynyddoedd oherwydd i Iesu fod yn feirniadol o ragrith rhai ohonynt a'u methiant i ddehongli arwyddion yr amserau. Ond nid pobl gul oeddynt. Yn wir, y Phariseaid, yn wahanol i'r Sadwceaid, a oedd yn awyddus i addasu a datblygu'r grefydd a'r gyfraith Iddewig ar gyfer cyfnod newydd. Roeddynt yn barod i newid ac yn gwybod bod rhaid i draddodiad ddatbygu ac esblygu, ond roedd yr argyfwng wedi bod yn dreth arnynt ac, er gwaethaf y ddelfryd, roeddynt hwythau wedi llithro i fod yn amddiffynnol a chaent eu hadnabod fel y bobl a oedd yn codi gwrychoedd – hynny yw, codi gwrychoedd o gwmpas eu crefydd, er mwyn ei hamddiffyn. Lleygwyr oedd y Phariseaid ac mae rhai awduron Iddewig wedi mynd mor bell ag awgrymu y gallai Iesu fod yn un ohonynt.

Nid o'r gyfundrefn grefyddol nac o blith y Phariseaid chwaith y galwodd Iesu ei ddeuddeg disgybl, (er y daeth rhai Phariseaid yn ddilynwyr iddo) ond o blith dynion cyffredin a lleygwr i gyd, heb na statws, na safle, na hyfforddiant ar wahân i hyfforddiant eu crefft a'u gwaith. Mae llawer o Gymry, er dyddiau eu plentyndod, mor gyfarwydd â swyn stori galw'r disgyblion nes ei bod yn hawdd anghofio mor chwyldroadol oedd hi i Iesu ddewis deuddeg disgybl cyffredin. Y disgwyliadau, gyda dewis o'r fath, oedd mai byr iawn fyddai parhad y mudiad newydd. Roedd Iesu, fodd bynnag, wedi dewis dynion a oedd yn ddigon dewr a mentrus i'w ddilyn. Roeddynt o ysbryd digon rhydd i beidio â chael eu caethiwo i'r arferol a'r disgwyliedig. Yn fwy na dim yr oeddynt yn barod i ymddiried ynddo.

Er gwaethaf yr holl bwyslais ar ryddid yr unigolyn, mae'r gymdeithas fasnachol a chystadleuol wedi gwneud pobl mor debyg i'w gilydd yn eu hawydd am yr un pethau, yr un uchelgais, yr un gobeithion, yr un yrfa. Eithriadau o hyd yw'r rhai sydd yn barod i newid cyfeiriad ac yn barod i wynebu her a sialens er mwyn eraill neu oherwydd galwad i fentro mewn ffydd. Y duedd erbyn hyn, ymhlith y dosbarth canol, yw ymddeol yn ifanc i bensiwn da, a chael swydd arall wedyn! Aethom yn genhedlaeth ac yn ddosbarth diogel iawn. Nid felly y disgyblion, ac er mai'r duedd yw dweud eu bod wedi ufuddhau am mai Iesu oedd wedi eu galw, rhaid peidio ag anghofio na dibrisio, rhyddid a dewrder y dynion cyffredin hyn.

Gyda'r deuddeg hyn yr arweiniodd yr Iddew o Nasareth y mudiad a ddechreuodd newid y byd a mudiad nad yw wedi cyrraedd ei lawn dwf eto. Nid oedd Iesu yn offeiriad nac yn Rabi cydnabyddedig, ac nid oedd chwaith yn fynach nac yn swyddog o unrhyw fath yn y synagog na'r deml. Gan ei fod yn fab i saer, mae'n deg meddwl iddo gael dysgu crefft y saer ac y gallwn o leiaf ei alw yn saer coed. Nid oedd ganddo felly ddim cymwysterau. Ond fe alwodd ddeuddeg a dreuliodd dair blynedd ar y mwyaf yn ei gwmni ac yna fe'i hanfonodd i gyhoeddi ac i rannu'r newyddion da am ddyfodiad y Deyrnas. Iddewon cyffredin, felly, a ddaeth yn arwydd cyntaf y deyrnas honno. Os na wyddom a oedd yn fwriad gan Iesu sefydlu 'eglwys' ai peidio, nid oes unrhyw amheuaeth nad oedd am i'r dynion hyn fod yn gyfryngau i fyw ac i gyhoeddi'r deyrnas honno.

Y gwir yw bod y cyfan – Iesu a'i ddisgyblion – yn tanseilio'n radical holl ddatblygiadau y gyfundrefn a ddatblygodd ar ôl dyddiau Iesu. Cododd Iesu gwestiynau sylfaenol ynglŷn â chyfundrefnau'r ffydd Iddewig, ac roedd y deml yn arwydd iddo o gyfundrefn hierarchaidd yn tra-arglwyddiaethu ar ysbryd dyn: fe aeth o'i ffordd i ddweud hynny mewn gair a gweithred. Ac fe alwodd ddeuddeg yn y ffordd y gwnaeth rhag i'r newyddion da gael eu meddiannu gan unrhyw gyfundrefn o'r fath.

Cyfundrefn

Mudiad lleyg a chymuned fechan oedd yr eglwys gyntaf felly. Dyna oedd cyhuddiad yr awdurdodau Iddewig yn eu herbyn yn ôl Llyfr yr Actau – lleygwyr annysgedig, meddent. Mae angen felly, nid yn unig ddadwisgo a dadbacio'r diwylliant, y ddysg a'r ddiwinyddiaeth Gristnogol sydd wedi troi'r saer crwydrol yn ddoethur dogma, ond mae angen hefyd hepgor statws, teitlau, urddau, gwisgoedd, modrwyau, gorseddau, coleri, cadeiriau – fel troi'r byrddau yn y deml – er mwyn clirio a symleiddio a dychwelyd at Iesu'r Iddew a'i griw bychan o gwmpas bwrdd yn rhannu bara a gwin. Yma mae deall gwir arwyddocâd gweinidog-aeth neu offeiriadaeth yr holl saint – y tristwch am y geiriau yw eu bod wedi dod yn destun rhwygiadau yn hytrach nag yn ddisgrifiad syml o'r disgyblion. Mae Iesu yn gweld ac yn deall beth sydd wedi digwydd i'w fudiad , a gŵydd hefyd fod dynion a merched ym mhob oes yn gynnyrch eu cyfnod ac yn blant eu hoes. Mae'n sylweddoli mai un o beryglon cyson dynoliaeth yw meddiannu a hawlio pob peth. Fe welodd hyn yn digwydd i'w bobl a'i grefydd ei hun. Mae'r flwyddyn 2000 yn gyfle i ni sylweddoli bod yr un peth wedi digwydd i'w bobl eto, ac nad yw Iesu yn adnabod ei hun ar adegau yn y gyfundrefn sydd wedi codi o'i gwmpas.

Naïfrwydd fyddai ceisio troi'r cloc yn ôl. Nid troi yn ôl y mae'r Ysbryd, ond symud ymlaen. Mae'r argyfwng eglwysig yn ddieithriad wedi cael ei fynegi drwy sôn am brinder gweinidogion ac offeiriaid ac mae'r eglwys yn aml yn cael ei huniaethu â'r rhai sy'n ei harwain. Nid prinder gwein-idogion yw argyfwng yr eglwys – yn wir, o safbwynt Anghydffurfiaeth, nid oes brinder. Mae hynny yr un mor wir am y traddodiad Catholig-Anglicanaidd. Sefyll rhyngom a'r Gŵr o Nasareth wna dadansoddi o'r fath ar argyfwng yr eglwys; ac nid yw 'Parchedig' na 'Gwir Barchedig', 'Hybarch' nac 'Ei Ras', nac unrhyw deitl arall yn gydnaws â disgyblion yr Iddew hwn. Mae'n wir, wrth gwrs, fod y rhai sy'n gorfod cario'r teitlau yn gwneud hynny gyda gwyleidd-dra mawr ac yn eu gweld eu hunain fel gweision syml yr Arglwydd, ond yn y pen draw, maent yn gaeth i gyfundrefn sy'n eu newid. Mae sawl proffwyd wedi ei dawelu gan draddodiad a sawl rebel wedi ei ddofi gan y sefydliad, ac mewn termau crefyddol mae hynny'n cyfateb i ladd yr Ysbryd.

Mae'n rhaid i Gristnogaeth wrth gyfundrefn a sefydliad-au, wrth gwrs, ac mae eu gwarchod yn gyfrifoldeb mawr. Mae'r eglwys Gristnogol wedi bod yn gyfrwng i hybu'r gwerthoedd gorau; i hyfforddi merched a dynion yn y Gair; i neilltuo eraill i ddiwinydda ac i astudio'r Gair er mwyn hyfforddi eraill; i neilltuo pobl i fyfyrio ac i gyflwyno cyfoeth y meddwl a'r dychymyg Cristnogol. Hyn i gyd sy'n gwneud traddodiad yn rhywbeth byw a deinamig – mae ein dyfodol yn gorwedd lle mae ein gorffennol, chwedl y ddihareb Iddewig. Nid oes neb a all wadu nad yw cyfundrefn yn allweddol i ddiogelu ac i ddatblygu. Dyna pam mae cau colegau diwinyddol Cymru un ar ôl y llall yn dristwch mor fawr; ond y tristwch mwyaf oedd bod y colegau diwinyddol wedi parhau yn sefydliadau mor syber a thawel. Daethant yn ormod o ran o'r gyfundrefn, yn hytrach na bod yn gyfrwng herio a thrawsnewid y gyfundrefn. Nid tanseilio'r angen am addysg a chyfundrefn ydoedd bwriad y pwyslais a roddwyd uchod ar Iesu nad oedd angen na choleg na chyfundrefn nac aelodau o statws yn ei dîm. Ond mae'r cyfan sydd gennym bellach – holl draddodiad gwledydd cred – i'w weld yng ngoleuni Iesu'r Iddew. Mae ganddo ef yr hawl i herio'r cyfan, ac mae ganddo'r awdurdod i'w dymchwel hyd yn oed. Mae holl draddodiad gwledydd cred a'r traddodiad Cristnogol yn ddarostyngedig i Iesu.

Soniwyd uchod am naïfrwydd. Hawdd iawn yw dweud y pethau hyn, ond peth arall yw gofyn beth i'w wneud â'r gyfundrefn sydd ar ôl. Os yw Iesu'r Iddew, fel sydd wedi ei awgrymu, yn sefyll y tu allan i'r gyfundrefn ac nad yw'r gyfundrefn honno i bob pwrpas namyn cysgod gwan o'r hyn y bwriadwyd iddi fod, yna beth yw'r ffordd ymlaen? Oherwydd bod argyfwng ysbrydol Cymru yn cael ei fesur yn nhermau machlud y sefydliad eglwysig, ac oherwydd bod hynny'n gwneud Cristnogion Cymru yn fwy digalon, tyn a rhwystredig, yna mae angen ein hatgoffa o'r hyn sydd wedi ei ddweud yn y gyfrol hon, a llawer mwy sydd heb ei ddweud, er mwyn i ni fedru ymlacio ychydig yn yr argyfwng, a phwyslesir hynny cyn diwedd y bennod. Mae'n bwysig hefyd i'r rhai sydd ar gyrion y ffydd a'r eglwys wybod nad Cristnogion mewn panig yw pob aelod o'r eglwys heddiw, ac nad yw pob Cristion chwaith am gael pawb i'r eglwysi er mwyn achub yr eglwysi a'u cyfundrefnau. Yr un mor bwysig yw i'r miloedd o Gymry Cymraeg sydd wedi colli cysylltiad â'r eglwys wybod nad eu hachub hwy yw'r nôd, nid 'targedu' unigolion yw iaith na gwaith Cristnogaeth, ond cyflwyno Iesu'r Iddew i Gymru – ac felly i bob Cymro a Chymraes o bob oed – fel un sydd â mwy i'w roi i ni, yn unigolion ac yn genedl, na neb na dim arall. Mae angen ei boblogeiddio – yn yr ystyr orau heb *spin* – oherwydd mae digon o le i gredu bod yr eglwys yn gwneud cam ag ef. Mae gan Iesu'r Iddew, gyda'i neges gadarnhaol, lawer iawn i godi ein calonnau ni yn ogystal ag i'n herio ni.

Gwreiddiau bregus a chadarn

Mae Cymru ac Israel erbyn hyn yn debyg iawn – dwy wlad seciwlar nad yw ymrwymiad crefyddol yn ddim mwy nag atgof ar gyrion bywyd y genedl am ogoniant a fu. Mae'r ddwy wlad hefyd yng nghanol cyfnod sydd wedi cael ei alw hyd syrffed yn 'ôl-fodernaidd', cyfnod pan fo pawb â'i farn a'i ddewis a phan na all pobl amgyffred pethau ar wahân i ddarnau bychan o brofiad. I'r Iddew sy'n barod i gymryd ail ran y Testament o ddifrif, ac i'r Cristnogion sydd wedi dechrau deall natur yr ail ran honno, mae'r Efengylau yn bortreadau anghyflawn o Iesu. Nid cofiannau ydynt na llyfrau hanes chwaith, ac o'u darllen a sylweddoli bod tair Efengyl yn arbennig yn adrodd yr un hanesion, mae'r darllenydd yn dyheu am gael **mwy** o wybodaeth. Yn ogystal â hynny mae'r Efengylau yn ein cyflwyno, drwy enghreifftiau penodol, i athro a oedd yn dysgu, nid drwy gyfundrefn a llyfr a deddfau, ond drwy ddweud ambell stori, drwy iacháu rhai cleifion, drwy dderbyn ambell un gwrthodedig a thrwy fyw ei fywyd syml mewn ufudd-dod i'w Dad. Roedd Mohamad yn ystyried na allai Iesu fod yn Waredwr am nad oedd wedi gofalu bod ei eiriau a'i fywyd wedi cael eu cofnodi yn fanwl ganddo ef ei hun. Fe ymddiriedodd Iesu, yn y lle cyntaf, yn ngair llafar ei ddisgyblion a chof gwerin gwlad er mwyn cadw'n fyw sôn am yr hyn a wnaeth a'r hyn a ddywedodd. Ar un olwg, mae'n syndod bod Iesu wedi gadael cyn lleied ar ei ôl, ac ar yr olwg arall, mae'n syndod fod gennym gymaint. Mae hanesion eraill amdano, wrth gwrs, ond ni chawsant le yn y Testament Newydd.

Dyma'r gwreiddiau a dyma natur yr Efengylau. Nid cyfundrefn a adawodd Duw yn ei Air ond darluniau a stori a chip ar Waredwr y byd. Bu'r cip hwnnw yn ddigon i feidrolion, ond fe erys yn ychydig: un bywyd byr ynghanol y canrifoedd, megis ysgrifennu ar dywod (fel y gwnaeth Iesu ei hun). Nid camgymeriad na methiant ar ran Duw yw hynny, oherwydd dyna'r ffordd a ddewisodd. Mae cynildeb Duw yn Iesu yn ddirgelwch mawr oherwydd mae gennym fwy o wybodaeth am fywyd a geiriau Jeremeia ac Eseciel nag am Iesu. Mae'r Efengylau yn gynnil. Golygfeydd a digwyddiadau yn cael eu disgrifio'n gryno yw'r Efengylau (ar wahân i Efengyl Ioan, sy'n wahanol iawn), ac mae un esboniwr wedi disgrifio Efengyl Marc fel cadwyn o berlau a Duw ei hun yn dal y perlau ynghyd. Mae'r adrodd yn gynnil, ac mae cynildeb eithafol bron yng ngeiriau Iesu ac yn arbennig yn ei dawelwch llethol o flaen ei well ac yn nyddiau ei groeshoeliad. Dyma ffordd y newyddion da. Fe ddewisodd Duw fod yn gynnil ac yn feidrol nid yn unig wrth ddod atom yn Iesu, ond hefyd yn y cyfryngau a'r dulliau a ddefnyddiodd i'r byd glywed amdano ac ymateb iddo. Nid at bobl a oedd yn darllen y daeth Iesu ond at werin a oedd yn byw eu bywyd o ddydd i ddydd yn ei brofiadau amrywiol; ond i'r Cristnogion cynnar y mae'r clod a'r diolch fod y sôn amdano wedi ei gyflwyno i'r oesau yn yr

Efengylau. Pwysleisiwyd eisoes mai darnau o brofiadau yw profiadau'r mwyafrif yn ein cymdeithas ôl-fodernaidd, oherwydd mae profiadau pobl bellach yn fyr, yn ddarniog ac yn amrywiol. Dyma ddiwylliant tri munud y cyfryngau. Mae'r diwinydd Brueggemann, yn ei gyfrol, *The Bible and Postmodernism* (tud. 20), yn awgrymu mai galwad ein cyfnod erbyn hyn yw am i'r eglwys gyflwyno i bobl lawer o ddarnau bychain y gall pobl eu hunain eu rhoi at ei gilydd yn batrymau i'w bywydau hwy. Ei awgrym yw mai dyna a wnaeth Iesu.

Dyna pam mae efengyl Iesu'r Iddew yn efengyl bwyd llwy yn ogystal ag yn efengyl chwyldro mawr. Ffordd Martin Luther o ddweud hyn oedd bod y Gair yn fôr y gall y llygoden fach badlo ynddo ac y gall yr eliffant nofio ynddo. Mae'r un peth yn wir am yr Efengylau. Yn ei ymwneud ag unigolion, prin oedd geiriau Iesu, ond roedd gair a chyffyrddiad yn ddigon i atgoffa'r personau hynny eu bod yn byw o fewn cylch cariad y Tad. Ni wnaeth Iesu feichio neb yn ormodol – 'fy iau sydd ysgafn', meddai. Ac wrth alw rhai i'w ddilyn, nid cyflwyno amodau a rheolau a wnaeth, ond yn unig gwahodd pobl i aros yn ei gwmni. Mae Iesu'r Iddew yn gwahodd Cristnogion i ymatal rhag bod yn rhy drwm eu gofynion ar eraill ac yn eu cymell ar adegau i fod mor dawel ac mor gynnil ag ef. Ar adegau eraill, mae'n gofyn am ddewrder i sefyll ac am argyhoeddiad i ddyfalbarhau. Fe all ymateb pobl i'r Efengyl fod fel darnau yn graddol ddisgyn i'w lle, ac mae angen adnabod y darnau cyn y daw'r darlun cyfan i'r golwg. Mae'r Efengyl fel gwrando ar orsaf *Classic FM* ar radio'r car. Rydych yn gwibio gyrru a'r olygfa yn newid yn gyflym. Mae *Classic FM* yn llawn hysbysebion doniol ac yn llawn jingo sentimental i'ch denu i wrando – yna, yn annisgwyl, dau funud o Mozart, dim ond dau, ac fe wyddoch fod yna gerddoriaeth bur a dyrchafol yn llifo i'ch bywyd, a bod llawer mwy ohoni i ddod o'r un ffynhonnell. Un felly yw Iesu. Fe ddaw ar draws ein llwybr ac fe fyddwn yn gwybod hynny. Ni fydd yn ein llwytho â chynllun gwaith na holiadur, ond fe fydd wedi gadael digon ar ei ôl i ni ddyheu am ragor o'i gwmni. Dyna'i steil.

A dyna pam mae disgwyl i'w ddilynwyr fod yn gymysgedd rhyfedd o bobl. Mae'r Iddewon, wrth gwrs, yn arbenigo ar amrywiaeth grefyddol erbyn hyn. Mae pob amrywiaeth posibl o gred a diffyg cred yn gwneud Iddewiaeth yn ecwmeniaeth beryglus ynddi ei hun, meddai Sydney Brichto yn ei gyfrol, *Funny ... you don't look Jewish*, (1994). Cyflwynodd yr awdur hwn ei gyfrol i'w wraig a oedd yn credu ei fod yn llawer rhy Iddewig, ac i'w dad a oedd yn credu nad ydoedd yn hanner digon Iddewig! Siaced fraith iawn yw Iddewiaeth. Ond, beth bynnag yr amrywiaeth, maent i gyd yn arddel y grefydd Iddewig am eu bod yn methu â gollwng gafael arni neu am fod Duw yn gwrthod gollwng gafael arnynt hwy. Amrywiaeth pellach, wrth gwrs, yw'r Iddewon cwbl seciwlar, ond mae y fath beth ag 'anffyddiaeth Iddewig' hyd yn oed!

O'u cymharu â'r Iddewon, di-liw iawn yw Cristnogion ac eglwysi Cymru. Arwynebol iawn yw'r gwahaniaeth enwadol. Mae'r un peth yn wir am yr eglwysi Efengylaidd/ Carismataidd oherwydd mae'r aelodau yn debyg iawn i'w gilydd – yn defnyddio yr un eirfa, yn dweud yr un pethau ac yn mwynhau yr un bregeth! Dyma'r ffydd fflat y soniwyd amdani ar y dechrau ac y gallwn ei galw yn ffydd ddi-liw a diamrywiaeth iawn hefyd.

Dyna hefyd yw ymateb Iesu'r Iddew. Mae am i ni gofio nad yw'n rhoi gofynion beichus arnom. Mae yn anghyfrifol o rydd. Mae am i ryw ran fechan o'n bywydau ni gyffwrdd â'i fywyd ef, a phan fydd hynny'n digwydd, medd Iesu'r Iddew, yna mae Duw ar waith a rhaid gadael y gweddill i Dduw. Fel yr awgrymwyd, nid yw'n agwedd i gynnal sefydliad heb sôn am ei adfer. Ond dyna agwedd Iesu. Wedi'r cyfan un sydd yn rhyddhau ac yn ysgafnhau ydyw.

Crefydd werin

Gwisg ddi-wnïad oedd bywyd i'r Iddew, a heb ei rhannu fel y mae ein bywyd ni. Roedd cred yn Nuw yn gwbl naturiol ac roedd crefydd oherwydd hynny yn treiddio i bob rhan o fywyd. Roedd bod yn Iddew gyfystyr â chredu. Yn yr un ffordd, meddai R Tudur Jones, (*Ffydd ac Argyfwng Cenedl*, Cyf. 1, tud. 18) '*roedd bod yn Gymro a bod yn Gristion o fewn trwch y blewyn yr un peth erbyn 1890*'. Nid oes raid dweud mwy am y newid er 1890, ond mae angen ein hatgoffa bod Cristnogaeth wedi treiddio'n ddwfn i'n diwylliant fel Cymry. Er bod y dieithrio o'r eglwysi wedi bod bron yn llwyr, mae digon wedi ei ddweud yn y gyfrol hon i'n hatgoffa bod Iesu'r Iddew ar adegau yn cerdded y ffin denau sydd rhwng ffydd a diwylliant.

A oes y fath beth â chrefydd werin? Tra bod y ffyddloniaid yn cynnal fflam y ffydd yn eu bro, a yw'n gysur gwybod bod yna haenen denau o gred yn cyrraedd y bobl drwy *Dechrau Canu Dechrau Canmol*, ambell angladd, Sul y Maer, neu gymanfa ganu ym Mhafiliwn yr Eisteddfod? A yw'r ffin rhwng ffydd a diwylliant yn diflannu'n llwyr pan fo côr meibion yn canu 'Llef '('O Iesu mawr, rho d'anian bur...') ar lwyfan Eisteddfod Ryngwladol Llangollen? O fewn muriau eglwysig, beirniadol ar y cyfan yw'r agwedd tuag at grefydd werin gan gredu mai crefydd hawdd, ddisylwedd ydyw. Crefydd angladd, priodas a bedydd. Mae'r anwybodaeth a'r sentiment yn ddigon o brawf na all crefydd mor arwynebol fyw. Argyhoeddiad a dyfnder ac ymgysegriad yw rhuddin y ffydd. Mor aml y mae'r rhai sy'n llafurio'n gydwybodol i gynnal y gyfundrefn yn colli pob amynedd â'r rhai sy'n galaru pan fo capel yn cau, er enghraifft, heb ronyn o gydwybod eu bod hwy eu hunain yn rhannol gyfrifol am hynny. Yr unig ragrith sy'n waeth na rhagrith crefyddwyr yw rhagrith pobl a fu yn grefyddwyr. Fe wyddom hefyd y gall y syniad o grefydd werin fod yn esgus ychwanegol i bobl osgoi'r cyfrifoldeb o fod yn aelod o'r eglwys a bod yn ddigon hapus ar fod yn gefnogwyr yr achos. A Duw a ŵyr mae gan yr eglwys nifer fawr o gefnogwyr pell ar yr ymylon. Er gwaethaf popeth sydd wedi ei ddweud yn y gyfrol hon, drwy fesur ymrwymiad rhywun i Iesu **drwy** fywyd ei eglwys y mae mesur ei ffydd a'i argyhoeddiad yn y pen draw. Mae hynny yn golygu ymrwymiad i gymdeithas o bobl – oherwydd dyna yw eglwys. Cristnogion yw'r gair allweddol, nid Cristion.

Mae angen dweud mwy na hynny. Meddai Iesu ei hun, 'Y rhai nad ydynt yn fy erbyn, o'm plaid y maent' (Marc 9, 40). Fe ddechreuwyd y gyfrol hon drwy gyfeirio at y bwrlwm diwylliannol sydd yng Nghymru a thuedd yr eglwys i fod yn feirniadol o'r diwylliant torfol hwnnw. Ar ei waethaf, mae'n ddiwylliant sy'n dwysáu'r gwacter a'r chwalfa yn ein cymdeithas. Ar ei orau, mae'n cyfoethogi bywyd. Ond mae'r grefydd Iddewig -Gristnogol yn ystyried bod egwyddorion teyrnas Dduw yn gyfrwng i greu ac i gynnal diwylliant, ac nid damwain yw'r ffaith nad oes dim un gyfrol wedi dylanwadu ar ddychymyg a diwylliant y byd fel y gwnaeth y Beibl. Diwylliant Cristnogol yw diwylliant Cymru wedi bod er dyddiau Dewi Sant, ac mae sawl ysgolhaig wedi pwysleisio mai mawl yw'r llinyn aur sy'n rhedeg drwy'r cyfan. Er i rai feirniadu'r eglwys am ladd diwylliant gwerin yng nghyfnod y Diwygiad Methodistaidd ac yng nghyfnod parchusrwydd oes aur y capeli yn oes Victoria, mae gor-ddweud yn y cyhuddiad. Fe fu i gulni crefyddol filwrio yn erbyn hwyl a mwynhad, ond roedd Cristnogaeth yn fwy na dim yn rym ac yn ddylanwad a oedd yn cynnal cymdeithas dda. Mae'n werth i ni gofio hefyd mai yn yr ugeinfed ganrif y cododd Cymru y beirdd Cristnogol mwyaf a welodd erioed: Gwenallt, Saunders Lewis, Waldo, Euros Bowen, Gwyn Thomas a llawer iawn o rai eraill. Fel y proffwydi yn yr wythfed ganrif cyn Crist, roeddynt drwy eu barddoniaeth yn tystio i Iesu mewn ffordd nad oedd yr eglwysi yn llwyddo i wneud hynny. Mae'r un peth yn wir am nofelau. O nofelau Islwyn Ffowc Elis i nofelau Marion Eames ac o nofelau Emyr Humphreys i rai Angharad Tomos, ni fu erioed ysgrifennu sydd mor ymwybodol o gymuned a gwerthoedd a gwreiddiau. Maent yn nofelwyr Cristnogol. Fe ellid cyfeirio at y celfyddydau eraill – ac enwyd rhai yn y bennod gyntaf – i'r un pwrpas. Creu gwerthoedd ac adfer gwerthoedd a wna diwylliant hyd yn oed yn yr oriau du. Ac yn arbennig yn yr oriau du, oherwydd mae celfyddyd yn gyfrwng goleuni. Mae diwylliant yn fur rhag anhrefn. Mae hynny yn ein hatgoffa bod yr hyn a ddywedwyd yn awr am Gymru ganwaith yn fwy gwir am yr Iddewon. Yn nghanrifoedd y gwasgar a'r erlid a'r dioddefaint, mae'r Iddew wedi creu a datblygu diwylliant ar bob lefel – o ysgolheictod i Hollywood, o gerddorfa yn Auschwitz i gomedïwr yn Rwsia Stalin – ac i'r Iddewon sy'n credu yn Nuw'r cyfamod, gwaith Duw yw'r cyfan.

Mae dylanwad Iesu'r Iddew ar ddiwylliant Cymru wedi treiddio yn rhy ddwfn i ddiflannu, a dyna pam mae lle i grefydd werin. Mae'r cysylltiad gwannaf â'r ffydd **yn** gysylltiad, a rhai o eiriau Eseia a ddyfynnodd Iesu ei hun oedd nad yw'r Gwas Dioddefus yn 'diffodd cannwyll sy'n mygu' (Mathew 11, 20). Gall ystadegau'r dirywiad crefyddol (mai dim ond 8% sydd yn addolwyr) fod yn gamarweiniol iawn, ac fe all yr ystadegyn sy'n dweud bod 65% o boblogaeth Cymru yn credu yn Nuw fod yn gamarweiniol hefyd. (Yn ôl arolwg diweddar gan y BBC dim ond 26% o boblogaeth Prydain sydd bellach yn honni credu mewn 'rhyw fath o Dduw'). Rhwng y ddau ffigwr, nid oes amheuaeth am yr awydd – hyd yn oed yr hiraeth – i adfer, i chwilio ac i ailddarganfod y gwerthoedd a gollwyd. Dyna yw lle diwylliant, a lle mae diwylliant adeiladol, nid yw Iesu'r Iddew ymhell. Nid yw Cristnogion yn ddigon hael eu hysbryd i gydnabod hynny. Methiant Cristnogion yn aml yw anallu i fod yng nghanol y diwylliant hwnnw yn clywed adlais, yn adnabod goslef ac yn gweld dylanwad ei eiriau a stamp ei deyrnas. Mewn geiriau eraill, anghofio 'bod yr Ysbryd yn chwythu lle y mynno' (Ioan 3, 8). Ar y llaw arall methiant y miloedd sydd wedi gadael yr eglwysi a cholli gafael ar y ffydd yw anallu i adnabod tarddiad pob awydd i fynd tu hwnt i'r arwynebol at yr hyn sy'n bodloni, ac i gofio bod Duw, wedi'r cyfan, wedi ein creu 'ar ei lun a'i ddelw ei hun'. Mae hynny yn golygu ei fod wedi plannu yr angen i'w addoli ym mhawb.

Yma i aros

Bwriad y gyfrol hon oedd rhoi lle i Iesu'r Iddew ddod i'r golwg, yn arbennig er mwyn i'r mwyafrif sydd bellach y tu allan i grefydd gyfundrefnol fedru ailddechrau meddwl am yr hyn y maent wedi ei wrthod, neu, o leiaf, yr hyn yr ymddengys eu bod wedi ei wrthod. Ymdrech i symleiddio yw'r cyfan ac adfer yr uniongyrchedd agored a chyraeddadwy. Mae Iesu ar gael i bawb. Mae'n fenter beryglus, yn arbennig gan fod pawb yn arbenigwyr ar grefydd erbyn hyn. Roedd gweld cerflun Wallinger, *Ecce Homo,* yn fychan feidrol yng nghanol cofebau mawr a mawreddog Sgwâr Trafalgar yn mynegi yn fwy grymus na dim y dadwisgo a'r rhyddhau o gaethiwed traddodiad y mae'r gyfrol hon wedi ceisio ei wneud. Nid oes gan Grist yr *Ecce Homo* na gwallt hir, na gwisg laes na barf, oherwydd mae'r cyfan wedi mynd er mwyn i'w ddynoliaeth darddu o'i 'fap geneteg'. Mae yn Sgwâr Trafalgar am iddo fod yn Sgwâr y Deml yn Jeriwsalem ac mae yn 'neb o ddyn' – pobun – am na ellir tynnu dyn oddi wrth ei dylwyth. Yno yn Llundain mae'n herio holl honiadau dynion amdano. Fe allasai fod ym Mae Caerdydd.

Mae llun yng Nghymru sy'n dweud hyd yn oed fwy am Iesu'r Iddew a'i le ym mywydau pobl Cymru. Ymysg darluniau y diweddar Will Roberts yn Eglwys Castell Nedd, mae un bychan o'r enw, *Coron ddrain,* mewn siarcol. Ysgafn a syml iawn yw llinell siarcol ac mae'r llun hwn mor syml ag y gall llun fod. Mewn cyfweliad â Tony Curtis *(Welsh Artist Talking)* fe wnaeth Tony Curtis y sylw fod y llun hwn, o bell, yn edrych yn ddigon aneglur a haniaethol. Fel mae'r ffydd efallai i lawer iawn o bobl erbyn hyn – yno, efallai yn y cefndir yn atgof ysgafn o gyfoeth a fu. Rhaid dod yn nes ac yn nes at y llun, meddai Curtis, ac o ddod yn nes, mae'r wyneb yn dod yn fwy clir, mae'r goron ddrain yn dod i'r golwg, ac mae'r llygaid ar agor – neu, a'i ar gau y maent? Dyna'r llun sydd ar glawr ôl y gyfrol hon, yn gefndir i'r geiriau, a'r geiriau yn ein rhwystro rhag gweld y llun yn iawn. Yn y symudiad yna i ddod yn nes y mae croesi ffin yn digwydd, o drafod a dadlau, i brofiad sy'n gwneud plygu a rhyfeddu yn ystyrlon. Mae Iesu, ar adegau wedi mynd o'r golwg bron ac ysgafn iawn yw'r darlun ohono yn ein bywyd ac ym mywyd ein cenedl – weithiau yn amlinelliad, weithiau yn y gornel, weithiau yn rhy aneglur i'w adnabod. Ond mae Iesu'r Iddew yma i aros – 'Yr wyf fi gyda chwi bob amser' (Mathew 28, 28), ac ni fydd amser na fydd rhywrai yn chwilio amdano ac yn cael ei ddenu ato. Efallai y bydd y gyfrol hon yn gymorth i'n helpu, wrth blygu a rhyfeddu, i glywed Iesu yn parhau â'i gwestiwn sydd yn wahoddiad cynnes ac yn her fawr, 'Pwy meddwch chwi ydwyf fi?'

Am restr gyflawn o gyhoediadau'r Lolfa,mynnwch gopi o'n
Catalog newydd sbon – neu hwyliwch i mewn i
www.ylolfa.com ar y we fyd-eang!

TALYBONT CEREDIGION CYMRU SY24 5AP
e-bost ylolfa@ylolfa.com
y we www.ylolfa.com
ffôn (01970) 832 304
ffacs 832 782
isdn 832 813